Nouvelles frontières

10ᵉ

Cahier

Fran Catenacci
Robert Hart

Pauline Cyr

Une rubrique de Pearson Education Canada

Don Mills, Ontario – Reading, Massachussetts – Harlow, Angleterre

Glenview, Illinois – Melbourne, Australie

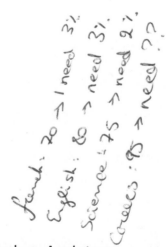

French: 20 → I need 3%
English: 80 → need 3%
Science: 75 → need 2%
Careers: 95 → need ??

Nouvelles frontières 10e
Cahier

Directrice du département de français langue seconde : Hélène Goulet
Directrice de la rédaction : Anita Reynolds MacArthur
Directrice du marketing : Audrey Wearn
Coordonnatrice de la rédaction : Andria Long
Équipe de rédaction : Kathleen Bush, Gina Boncore Crone, Jonathan Furze
Chargés de projet : Kathleen Bush, Gina Boncore Crone, Jonathan Furze, Andria Long
Production/Rédaction : Tanjah Karvonen; Nadia Chapin, Marie Cliche, Louise Cliche, Lisa Cupoli, Léa Grahovac, Micheline Karvonen, Judith Zoltai
Révisions linguistiques : Christiane Roguet et Édouard Beniak
Coordonnatrice : Helen Luxton
Illustration sur la couverture : William James/SIS
Conception graphique : Jennifer Federico
Mise en page : Linda Mackey
Illustrations : Tina Holdcroft

Remerciement

Nous tenons à remercier tous les enseignants, enseignantes, conseillers et conseillères pédagogiques pour leurs précieuses contributions à ce projet.

Copyright © 2002 Addison Wesley ltée, Toronto, Ontario

Tout droits réservés.

Cet ouvrage est protégé par les droits d'auteur. Il faut avoir obtenu au préalable l'autorisation écrite de l'éditeur pour reproduire, enregistrer ou diffuser une partie du présent ouvrage sous quelque forme ou par quelque procédé que ce soit, électronique, mécanique, photographique, sonore, magnétique ou autre. Pour obtenir l'information relative à cette autorisation, veuillez communiquer par écrit avec le département des autorisations.

ISBN 0-201-74822-3

Imprimé au Canada
Ce livre est imprimé sur du papier sans acide.

A B C E F   WC   05 04 03 02 01

Les éditeurs ont tenté de retracer les propriétaires des droits de tout le matériel dont ils se sont servis. Ils accepteront avec plaisir toute information qui leur permettra de corriger les erreurs de références ou d'attribution.

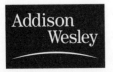

Table des matières

La machine à rajeunir
Chapitre 1 : Transformations
Partie I : Vocabulaire

Trouve, dans la grille, un mot de la même famille que les mots suivants.

Exemple : vieillesse : (verbe) _vieillir_

1. heureux : (adverbe) _heureuse_
2. un an : (nom) _____
3. la joie : (adjectif) _____
4. jeune : (nom) _____
5. s'endormir : (verbe) _____

6. la fonction : (verbe) _____
7. chanter : (verbe) _____
8. dur : (verbe) _durcir_
9. parfait : (adverbe) _parfaite_
10. seul : (adverbe) _seule_

H	I	T	X	D	Q	R	O	U	R	U	P	P	R	G
H	E	Q	N	F	U	S	Y	U	O	F	A	Q	X	J
B	X	U	E	E	F	R	A	Z	O	R	R	V	X	R
Y	G	I	R	N	M	F	C	N	E	I	F	E	B	M
J	L	Z	J	E	S	E	C	I	S	E	A	R	P	B
Q	R	M	Z	M	U	T	L	V	R	H	I	T	A	M
A	O	U	E	V	I	S	X	U	K	J	T	E	N	I
X	G	S	N	O	Z	J	E	R	E	S	E	S	N	R
J	H	X	N	Y	I	E	I	M	K	S	M	S	E	I
P	M	N	M	L	X	M	W	O	E	O	E	E	E	L
P	E	N	M	S	R	A	Y	O	P	N	N	N	S	L
R	Q	S	J	O	Y	E	U	X	D	K	T	U	B	I
Y	K	E	D	M	G	M	Y	J	F	Y	U	E	L	E
R	E	N	N	O	T	N	A	H	C	W	T	J	Q	I
H	Z	Z	S	S	S	U	D	N	Q	A	N	G	U	T	V

Copyright © Addison Wesley

Vocabulaire
et compréhension

A **Trouve le synonyme des mots suivants dans le texte.**

> **Exemple :**   une auto = _une voiture_

1. mon amie   = _____

2. sept jours   = _____

3. quand   = _____

4. normalement   = _____

5. la majorité   = _____

B **Trouve l'antonyme des mots suivants.**

> **Exemple :**   sortir ≠ _entrer_

1. premier   ≠ _____

2. heureux   ≠ _____

3. gros   ≠ _____

4. le départ   ≠ _____

5. apparu   ≠ _____

C **Vrai ou faux? À l'oral, corrige les phrases fausses.**

1. Le quarantième anniversaire de Sophie et Hugo les a rendus heureux.

2. Quand ils sont retournés de leur voyage en Gaspésie, ils étaient joyeux et pleins d'énergie.

3. D'habitude, le père de Marc-André se lève tôt le matin.

4. Marc-André remarque que son père a grossi.

5. Dans la cuisine, le narrateur remarque que sa mère a aussi changé.

D **Quels sont les changements que Marc-André remarque chez son père et chez sa mère?**

_____

_____

_____

_____

Chapitre 1 : Transformations   Copyright © Addison Wesley

Partie II : Vocabulaire

Complète les mots croisés. Dans le texte, trouve les mots de la même famille que les mots donnés.

Exemple : monstre _monstrueux_

Horizontalement :

1. espion _____

3. pousser _____

4. étonner _____

7. normal _____

8. enthousiaste _____

9. sûr _____

10. vêtement _____

Verticalement :

2. rajeunir _____

5. établir _____

6. oublier _____

La signification des mots

A Utilise le contexte des phrases suivantes pour deviner la signification des mots en caractères gras. Encercle la bonne réponse.

Exemple : Sans être totalement **chauve**, Hugo avait les cheveux rares.

a) beau   (b) sans cheveux)   c) difficile

1. Nos corps **subissent** des changements anormaux!

   a) sont l'objet (de)   b) vont   c) veulent

2. Je me suis précipité dans **la pièce** voisine.

   a) la maison   b) la chaise   c) la salle

3. Maintenant qu'on est jeunes et beaux, on trouve encore des raisons de **se plaindre**.

   a) s'amuser   b) ne pas sortir   c) protester

4. Voici **le dépliant** que cet homme nous a laissé…Tiens, il s'appelle Léo…

   a) le numéro   b) la brochure   c) les clefs

5. Avec un phénomène aussi bizarre, il faut **se méfier**.

   a) pleurer   b) faire attention   c) courir

B Quels mots complètent les phrases suivantes?

1. Une maison a des fenêtres, mais une voiture a des _____.

2. Un mot qui veut dire la même chose qu'*informations* : _____.

3. Ce qu'on met pour nager : _____.

4. Un verbe qui veut dire la même chose que *se dépêcher* : _____.

5. Si la personne à qui on téléphone n'est pas là, on peut laisser un message sur sa

   _____.

Compréhension

Relis le chapitre 1. Réponds aux questions suivantes en phrases complètes.

1. Qu'est-ce que Marc-André et son amie Josée remarquent à quelques mètres de la maison quand ils arrivent?

   _____

2. Selon Marc-André, pourquoi la voiture est-elle près de la maison?

   _____

3. Qu'est-ce que Sophie est en train de faire quand les deux amis entrent dans la maison?

   _____

4. Quel nouveau changement Hugo remarque-t-il?

   _____

5. Comment Marc-André prouve-t-il que ses parents rajeunissent?

   _____

6. Pourquoi Hugo a-t-il peur de son rajeunissement?

   _____

7. Quelle est peut-être la source du rajeunissement?

   _____

8. Où est-ce que les parents de Marc-André décident d'aller?

   _____

9. D'après toi, quelles difficultés auront Sophie et Hugo pendant le voyage?

   _____

   _____

   _____

10. D'après toi, quelles difficultés auront Marc-André et Josée pendant le voyage?

    _____

    _____

    _____

As-tu observé?
La formation de l'imparfait

A **Lis les phrases suivantes tirées du Chapitre 1 : *Transformations*.**

1. J'**avais** l'impression d'observer une photo truquée…

2. Le samedi, il ne **sortait** jamais du lit avant 10 heures!

3. Elle **paraissait** mince dans ce vêtement.

4. Ils **se regardaient**…

Hum… quelle est la règle?

a) On forme l'*imparfait* avec _____ verbe seulement.

b) Pour former l'*imparfait*, on conjugue le verbe au présent avec le pronom nous. Ex. : nous port _____, nous finiss____, nous attend _____.

c) Ensuite, on enlève seulement _____. Ex. : nous portons> **port**, nous finissons> _____ et nous attendons> _____. Ce sont les radicaux des verbes à l'*imparfait*.

d) Enfin, on ajoute les terminaisons de l'*imparfait*.

Exemple : finir

je finiss_____	nous _____ions
tu _____ais	vous finiss_____
il / elle / on _____ait	ils / elles _____aient

Attention! Le verbe **être** est la seule exception : j'**ét**ais, tu **ét**ais, il / elle / on **ét**ait, nous **ét**ions, vous **ét**iez, ils / elles **ét**aient.

B **Écris chaque verbe au *présent* avec *nous*, puis à l'*imparfait* avec le sujet demandé.**

Infinitif	Présent avec *nous*	Imparfait avec...	
venir	venons	il	venait
avoir	avons	on	avait
être	sommes	vous	étions
devoir	devons	elles	devions
quitter	quittons	tu	quittait
faire	faitons	elle	faitions faisait
dire	disons	je	dirais
aller	allons	tu	allions
pouvoir	pouvons	nous	pourrions
manger	mangeons	je	mangeait

➔ **Grammaire : Anthologie p. 126**

Chapitre 1 : Transformations   Copyright © Addison Wesley

As-tu observé?
L'usage de l'imparfait I

A **Lis les phrases suivantes tirées du Chapitre 1 :** *Transformations.*

    1. Je le **portais** quand tu **étais** tout petit.

    2. Le samedi, il ne **sortait** jamais du lit avant 10 heures!

    3. On a visité tous les endroits qu'on **fréquentait** durant notre jeunesse…

Hum... quelle est la règle?

a) Dans ces exemples, l'*imparfait* est utilisé pour décrire des actions habituelles ou répétitives

dans le _imparfait_.

b) Ces actions ne se répètent plus dans le _____ Ex. : Sophie et Hugo

_____ des endroits quand ils étaient jeunes, mais ils ne les fréquentent

plus maintenant.

c) Les mots *souvent, toujours, d'habitude, tous les jours* sont souvent suivis de _l'imparfait_.

B **Mets les verbes suivants à l'*imparfait*.**

Quand Hugo _était_ (être) jeune, il _____[1] (faire) souvent du jogging. Toutes les

fins de semaine, il _____[2] (jouer) au hockey. Sophie _____[3] (sortir)

tous les soirs et _____[4] (danser) tous les vendredis. D'habitude, ils

_____[5] (voyager) ensemble tous les étés. Ils étaient très actifs.

→ **Grammaire : Anthologie p. 128**

As-tu observé?
L'usage de l'imparfait II

A **Lis les phrases suivantes tirées du Chapitre 1 :** *Transformations*.

1. Elle **portait** un kimono vert jaune.

2. J'ai tout de suite vu qu'ils **étaient** très joyeux.

3. Il est sorti de la pièce comme Superman… Il **ressemblait** de moins en moins à l'écrivain qui passait son temps à rêver.

Hum… quelle est la règle?

a) Dans ces exemples, l'*imparfait* est utilisé pour décrire une apparence, un état ou une attitude dans le _____.

b) Dans le premier exemple, l'*imparfait* décrit _____.

c) Dans le deuxième exemple, l'*imparfait* décrit _____.

d) Dans le troisième exemple, l'*imparfait* décrit _____.

B **Utilise l'*imparfait* pour mettre ces descriptions au passé.**

Exemple :   Nous sommes surpris par les nouvelles.
Nous _étions_ surpris par les nouvelles.

Écrivons!

1. Maman porte un vieux kimono.

   Maman était porte un…

2. Il n'y a pas de nuages dans le ciel.

   Il n'y était pas …

3. Nous pouvons expliquer le problème.

4. Tu sembles étonné par les nouvelles.

5. La voiture est garée devant la maison.

→ **Grammaire : Anthologie p. 128**

Chapitre 2 : En route
Vocabulaire

A Trouve dans le texte les mots qui correspondent aux définitions suivantes. Les lettres que tu écris dans les cases forment, de haut en bas, la réponse à la question-mystère.

Exemple : verbe : affirmer quelque chose qui est faux   <u>m</u> <u>e</u> <u>n</u> <u>t</u> <u>i</u> <u>r</u>

1. verbe : prendre conscience de   s' [ ] __ e __ __ __ voir

2. adjectif : sans frais ou paiement   g [ ] __ __ __ __ __

3. verbe : diriger une voiture   [ ] __ n d __ __ re

4. nom : endroit où on gare la voiture pour se reposer   h [ ] __ __ __ r __ __ t__ ère

5. nom : anxiété   i [ ] q __ __ __ t __ __ e

6. nom : petite épicerie   [ ] __ __ __ nn __ __ r

7. verbe : mettre de l'essence dans la voiture   [ ] __ __ __ __ __ ir le réservoir

8. verbe : se sauver ou s'enfuir   s' [ ] __ __ __ pp __ __

9. nom : action de faire comprendre   [ ] x p __ __ __ __ __ tion

10. verbe : faire croire quelque chose de faux   [ ] __ __ mper

11. nom : fait de devenir plus jeune   ra [ ] __ u __ i __ __ e __ __ n __

12. adjectif : avoir honte   h [ ] __ __ e __ __

13. nom : partie d'une voiture où on s'asseoit   [s] __ __ g __

14. se distancer   s' [ ] l __ i __ ner

15. se donner un baiser   s' [ ] __ br __ __ __ er

Question-mystère : Quels «spécimens» est-ce que Luce a étudiés au bord de la route?

_____

B Trouve l'antonyme des mots suivants.

1. un ami   ≠ _____

2. la gauche   ≠ _____ .

3. pâlir   ≠ _____

4. encourager   ≠ _____

5. la froideur   ≠ _____

Compréhension

A **Relis le chapitre 2. Mets les événements suivants dans le bon ordre. (1 = le premier événement / 5 = le dernier événement)**

☐ Marc-André a remarqué qu'un hélicoptère noir suivait la voiture de sa famille.

☐ Hugo devait s'arrêter aux distributeurs d'essence.

☐ Hugo a oublié que Marc-André était son fils.

☐ Josée et Marc-André ont rencontré Luce, un génie scientifique.

☐ Sophie et Hugo ont mis la radio très fort.

B **Réponds aux questions suivantes en phrases complètes.**

1. Quels véhicules suivaient la voiture de Marc-André et sa famille?

   _____

   _____

2. **a)** Qui est-ce que Josée a comparé à Roméo et Juliette? Pourquoi?

   _____

   _____

   b) Qui est-ce que Josée a comparé à une extraterrestre? Pourquoi?

   _____

   _____

3. Pourquoi Henri-François pensait-il que Hugo racontait une blague?

   _____

   _____

4. Pourquoi est-ce que Josée, Marc-André et ses parents ont dû aller à la station-service?

   _____

   _____

5. **a)** Décris les trois disputes entre Marc-André et ses parents.

   _____

   _____

   _____

   _____

   b) À ton avis, est-ce que Marc-André a bien réagi à chaque dispute? Pourquoi?

   _____

   _____

Chapitre 2 : En route   Copyright © Addison Wesley

As-tu observé?
L'imparfait et le passé composé

Lis les phrases suivantes tirées du Chapitre 2 : *En route.*

1. Je **m'éloignais** lorsque je **suis entré** en collision avec un individu qui tenait une femme par la taille.

2. Josée me **parlait** quand je **me suis aperçu** que la voiture noire nous suivait.

3. Pendant que le pompiste **remplissait** le réservoir, les amoureux **sont partis** s'embrasser à l'ombre d'un érable.

4. Nous **repartions** lorsque **j'ai vu** l'hélicoptère reprendre son vol.

5. Nous **sortions** de Rimouski lorsque Sophie **a allumé** la radio.

6. Après Rivière-du-Loup, nous **roulions** sur la route 132, quand j'**ai remarqué** l'hélicoptère.

Hum... quelle est la règle?

a) On utilise l'*imparfait* pour exprimer une action continue, prolongée ou de longue durée dans le

_____. L'*imparfait* n'indique pas la fin de _____.

Pendant que est souvent suivi de _____.

b) On utilise _____ pour exprimer la fin d'une action. Souvent

_____ exprime une action soudaine ou de courte durée. Le *passé composé*

indique une action qui a commencé _____ une autre. Souvent le passé

composé cause une interruption. *Tout à coup, soudain, quand, lorsque* sont souvent suivis

du _____.

→ **Grammaire : Anthologie p. 128**

L'action continue ou soudaine

A Lis les phrases suivantes. <u>Souligne</u> l'action qui est continue et (encercle) l'action qui est soudaine.

> **Exemple :** Marc-André <u>pensait</u> à ses parents quand il (a remarqué) la voiture noire.

1. Hugo conduisait quand, tout à coup, Marc-André a remarqué l'hélicoptère.

2. L'hélicoptère les suivait lorsqu'ils se sont arrêtés à une halte routière.

3. Marc-André attrapait Josée pour la retenir quand Henri-François d'Estragon est apparu.

4. Quand un point rouge a clignoté sur le tableau de bord, Hugo et Sophie écoutaient de la musique.

5. Marc-André et Josée attendaient dans la voiture lorsque Hugo est sorti du dépanneur.

B Mets les verbes indiqués à l'*imparfait*.

> **Exemple :** Je (parler) <u>parlais</u> à ma mère quand mon père est arrivé.

1. Sophie et Hugo (vivre) _____ à Québec. Un jour, ils sont allés à Rivière-au-Renard.

2. J'(habiter) _____ chez Josée quand mes parents sont revenus me chercher.

3. Nous (sortir) _____ de la voiture lorsque des phares se sont allumés de l'autre côté de la rue.

4. Marc-André (rêver) _____ quand son père l'a réveillé.

5. J'ai tout de suite aperçu des changements quand j'ai vu ma mère en kimono. Elle (ranger) _____ la vaisselle.

6. Maman, tu (danser) _____ quand je t'ai vue ce matin!

7. Maman et Papa, (être) _____-vous à Percé quand vous avez commencé à rajeunir?

8. Mes parents (avoir) _____ quarante ans lorsqu'ils ont rajeuni.

9. Lorsque la voiture noire a changé de route, j'(être) _____ au volant.

10. Quand nous avons commencé le voyage, Hugo (conduire) _____. Je me suis aperçu des changements pendant que ma mère (ranger) _____ la vaisselle.

Le temps approprié

Récris les phrases suivantes. Mets les verbes indiqués au temps approprié. Attention aux verbes conjugués avec l'auxiliaire *être* au *passé composé*!

> **Exemple :** La voiture noire (être) garée à quelques mètres de la maison quand nous (arriver).
>
> La voiture noire _était_ garée à quelques mètres de la maison quand nous _sommes arrivés_.

1. Ma mère (finir) de préparer le petit déjeuner lorsque je (entrer) dans la cuisine.

   _____

2. Josée et Marc-André (regarder) Sophie quand, tout à coup, ils (entendre) un cri.

   _____

3. Quand Hugo (crier), Sophie (s'examiner) dans un miroir.

   _____

4. Mes parents (passer) des vacances à Percé. Un jour, ils (aller) voir une attraction touristique.

   _____

5. Nous (commencer) à rajeunir pendant que nous (visiter) l'attraction touristique.

   _____

6. Maman, que (faire)-tu lorsque Papa (entrer)?

   _____

7. Je (chercher) l'hélicoptère des yeux quand Luce m'(accuser) d'avoir menti.

   _____

8. Nous (aller) à Percé quand mon père (dire) qu'il ne voulait pas baisser la radio.

   _____

9. Sophie et Hugo, pendant que vous (s'embrasser), est-ce que Marc-André (payer) le pompiste?

   _____

10. Lorsque Papa (descendre) de la voiture, Maman (pleurer).

Chapitre 3 : La poursuite
Vocabulaire

A Démêle les lettres pour trouver les mots ou les expressions du chapitre 3 qui correspondent aux indices. Puis utilise les lettres numérotées pour trouver la question-mystère au bas de la page.

1. Le vrai âge de Sophie et Hugo : TAQERAUN SAN

    $\overline{\hspace{1em}}_{(1)}$ $\overline{\hspace{1em}}_{(2)}$ $\overline{\hspace{1em}}$ $\overline{\hspace{1em}}$ $\overline{\hspace{1em}}_{(13)}$ $\overline{\hspace{1em}}$ $\overline{\hspace{1em}}$ $\overline{\hspace{1em}}_{(6)}$ $\overline{\hspace{1em}}$

2. Document qui indique le ou la propriétaire d'un véhicule : FETATCRICI

    D'TIMITONIMALACRU

    $\overline{\hspace{1em}}$ $\overline{\hspace{1em}}$ $\overline{\hspace{1em}}$ $\overline{\hspace{1em}}$ $\overline{\hspace{1em}}$ $\overline{\hspace{1em}}$ $\overline{\hspace{1em}}$ $\overline{\hspace{1em}}$

    $\overline{\hspace{1em}}$ ' $\overline{\hspace{1em}}$ $\overline{\hspace{1em}}$ $\overline{\hspace{1em}}$ $\overline{\hspace{1em}}_{(7)}$ $\overline{\hspace{1em}}$ $\overline{\hspace{1em}}$ $\overline{\hspace{1em}}$ $\overline{\hspace{1em}}_{(8)}$ $\overline{\hspace{1em}}$ $\overline{\hspace{1em}}$ $\overline{\hspace{1em}}$ $\overline{\hspace{1em}}_{(17)}$

3. Poils situés sur le visage au-dessus de chaque œil : LOSIRSUC

    $\overline{\hspace{1em}}$ $\overline{\hspace{1em}}_{(18)}$ $\overline{\hspace{1em}}$ $\overline{\hspace{1em}}$ $\overline{\hspace{1em}}_{(19)}$ $\overline{\hspace{1em}}$

4. Difficulté ou danger caché : GIPÈE

    $\overline{\hspace{1em}}$ $\overline{\hspace{1em}}_{(3)}$ $\overline{\hspace{1em}}$ $\overline{\hspace{1em}}_{(11)}$ $\overline{\hspace{1em}}$

5. D'habitude, les bébés les portent comme sous-vêtement : COHUSEC

    $\overline{\hspace{1em}}$ $\overline{\hspace{1em}}$ $\overline{\hspace{1em}}$ $\overline{\hspace{1em}}$ $\overline{\hspace{1em}}_{(12)}$ $\overline{\hspace{1em}}_{(4)}$

6. Action de suivre quelqu'un rapidement pour le rejoindre : TUOPESURI

    $\overline{\hspace{1em}}$ $\overline{\hspace{1em}}_{(5)}$ $\overline{\hspace{1em}}$ $\overline{\hspace{1em}}_{(14)}$ $\overline{\hspace{1em}}$ $\overline{\hspace{1em}}$ $\overline{\hspace{1em}}$

7. Voiture d'un agent ou une agente de police : UTOA LOPLIURTAE

    $\overline{\hspace{1em}}$ $\overline{\hspace{1em}}$ $\overline{\hspace{1em}}$ $\overline{\hspace{1em}}$ - $\overline{\hspace{1em}}$ $\overline{\hspace{1em}}$ $\overline{\hspace{1em}}$ $\overline{\hspace{1em}}_{(20)}$ $\overline{\hspace{1em}}$ $\overline{\hspace{1em}}$ $\overline{\hspace{1em}}$ $\overline{\hspace{1em}}$ $\overline{\hspace{1em}}$

8. Appareil capable de s'élever et de voler sans ailes : ÉCEPÈHTORIL

    $\overline{\hspace{1em}}$ $\overline{\hspace{1em}}$ $\overline{\hspace{1em}}$ $\overline{\hspace{1em}}$ $\overline{\hspace{1em}}$ $\overline{\hspace{1em}}$ $\overline{\hspace{1em}}$ $\overline{\hspace{1em}}$ $\overline{\hspace{1em}}$ $\overline{\hspace{1em}}$ $\overline{\hspace{1em}}_{(15)}$

9. Verbe qui signifie lutter énergiquement pour s'échapper : ES TÉDRABET

    $\overline{\hspace{1em}}$ $\overline{\hspace{1em}}$ $\overline{\hspace{1em}}$ $\overline{\hspace{1em}}$ $\overline{\hspace{1em}}$ $\overline{\hspace{1em}}$ $\overline{\hspace{1em}}$ $\overline{\hspace{1em}}_{(9)}$

10. Appareil trouvé dans les voitures de police pour signaler leur présence : NIERÈS

    $\overline{\hspace{1em}}_{(10)}$ $\overline{\hspace{1em}}$ $\overline{\hspace{1em}}$ $\overline{\hspace{1em}}_{(16)}$ $\overline{\hspace{1em}}$

Question-mystère :

$\overline{\hspace{1em}}_{(1)}$ $\overline{\hspace{1em}}_{(2)}$ $\overline{\hspace{1em}}_{(3)}$ $\quad$ $\overline{\hspace{1em}}_{(4)}$ $\overline{\hspace{1em}}_{(5)}$ $\overline{\hspace{1em}}_{(6)}$ $\overline{\hspace{1em}}_{(7)}$ $\quad$ $\overline{\hspace{1em}}_{(8)}$ $\overline{\hspace{1em}}_{(9)}$ $\overline{\hspace{1em}}_{(10)}$ $\quad$ $\overline{\hspace{1em}}_{(11)}$ $\overline{\hspace{1em}}_{(12)}$ $\overline{\hspace{1em}}_{(13)}$ $\overline{\hspace{1em}}_{(14)}$ $\quad$ $\overline{\hspace{1em}}_{(15)}$ $\overline{\hspace{1em}}_{(16)}$ $\quad$ $\overline{\hspace{1em}}_{(17)}$ $\overline{\hspace{1em}}_{(18)}$ $\overline{\hspace{1em}}_{(19)}$ $\overline{\hspace{1em}}_{(20)}$?

Des mots

A **Trouve dans le chapitre 3 un mot de la même famille que les mots suivants.**

1. vite _____

2. une photo _____

3. profond _____

4. une porte _____

5. les freins _____

6. couper _____

7. une consolation _____

8. brutal _____

9. une terreur _____

10. agressif _____

B **Trouve l'antonyme des mots suivants.**

1. arrêter ≠ _____

2. ouvrir ≠ _____

3. boucler ≠ _____

4. saisir ≠ _____

5. crier ≠ _____

Compréhension

A **Relis le chapitre 3. Pour chaque citation, identifie le personnage qui parle. Puis explique les circonstances.**

1.   «Sortez de la voiture! … Mains derrière la tête!»

_____

_____

2.   «Quelle tête de mule tu as!»

_____

_____

3.   «Percé? Pourquoi irions-nous à Percé?»

_____

_____

4.   «Ce sont des kidnappeurs d'enfants? C'est terrible!»

_____

_____

5.   «Ce n'est pas une fille … C'est un ordinateur sur pattes.»

_____

_____

B **Réponds aux questions suivantes en phrases complètes.**

1.   Pourquoi est-ce que le policier se méfiait des quatre passagers?

_____

2.   Comment Sophie a-t-elle provoqué la poursuite avec le policier?

_____

_____

3.   À ton avis, pourquoi est-ce que les gens en noir ont attaqué Sophie et Hugo?

_____

_____

4.   Quelle histoire est-ce que Marc-André a inventée pour obtenir l'aide de M. d'Estragon?

_____

_____

5.   Pourquoi est-ce que Luce a recommandé à son père d'être prudent avec les quatre voyageurs?

_____

_____

Révision
Le passé composé et l'imparfait

Lis les phrases suivantes tirées du Chapitre 3 : *La poursuite.*

1. **J'ai fermé** les yeux pendant que maman et papa **riaient** et **criaient** «Yahoo!»

2. Soudain, **j'ai compris**. Ce brave agent de police **croyait** que mes parents **étaient** des déliquants.

---

le passé composé exprime...	**l'imparfait exprime...**
- une action qui cause une interruption	- une action continue ou prolongée
- une action de courte durée	- une action de longue durée
- une action qui commence après une autre	- une apparence, un état ou une attitude
- une action soudaine	- une action habituelle ou répétitive
On utilise souvent (mais pas toujours) le passé composé après : *tout à coup, soudain, quand, lorsque.*	On utilise souvent (mais pas toujours) l'imparfait après : *pendant que souvent, d'habitude, tous les jours.*

Mets les verbes entre parenthèses au *passé composé* **ou à** *l'imparfait* **selon le cas.**

> **Exemple :** Sophie (décider) __*a décidé*__ de dépasser les véhicules qui (avancer)
> __*avançaient*__ lentement.

1. Sophie (conduire) _____ la voiture quand, tout à coup, on (entendre)

   _____ la sirène de la police.

2. Pendant que les passagers (expliquer) _____ leur situation, l'agent de police leur

   (ordonner) _____ de sortir de l'auto.

3. Un hélicoptère (atterrir) _____ pendant que nous (discuter) _____.

4. Nous (essayer) _____ de nous échapper quand, soudain, la caravane blanche

   (arriver) _____.

5. L'agent de police les (poursuivre) _____ quand Sophie (perdre)

   _____ le contrôle de la voiture.

> **➜ Références : Cahier p. 15 et Anthologie p. 128**

L'usage du passé composé avec l'imparfait

Dans les situations suivantes, explique les actions ou les sentiments des personnages dans ce chapitre. Mets le verbe indiqué à l'*imparfait* et ajoute d'autres mots après le verbe pour compléter chaque phrase. Attention : la réponse peut être au négatif!

> **Exemple :** Quand Sophie a décidé de dépasser la longue file de voitures, elle (faire)
> *ne faisait pas attention* .

1. Quand Marc-André a entendu la sirène de la police, il (avoir) _____
   _____.

2. Quand le policier a demandé aux passagers de sortir de la voiture, il (penser) _____
   _____.

3. Quand Sophie a frappé le policier, elle (vouloir) _____
   _____.

4. Quand Sophie a refusé d'arrêter la voiture au bord de la route, Hugo (être) _____
   _____.

5. Quand la voiture s'est écrasée contre un arbre, les quatre passagers (être) _____
   _____.

6. Quand l'hélicoptère des gens en noir a atterri, ils (vouloir) _____
   _____.

7. Quand M. d'Estragon a demandé où étaient les jeunes adolescents, il (reconnaître) _____
   _____.

8. Quand Luce a examiné Marc-André avec attention, elle (savoir) _____
   _____.

9. Quand M. d'Estragon a offert son aide, les quatre voyageurs (se sentir) _____
   _____.

10. Quand les quatre passagers sont montés dans la caravane, Josée (être) _____
    _____.

Chapitre 3 : La poursuite Copyright © Addison Wesley

Chapitre 4 : Les soupçons de Luce
Vocabulaire

A **Écris la lettre de la définition qui correspond aux expressions suivantes.**

☐	**1.** faire semblant	**a)** devenir plus petit
☐	**2.** la fuite	**b)** donner l'impression
☐	**3.** un cobaye	**c)** cochon d'Inde ou animal de laboratoire
☐	**4.** mignonne	**d)** charmante
☐	**5.** rapetisser	**e)** fait de s'échapper

B **Trouve l'antonyme des mots suivants dans le chapitre 4.**

1. se calmer   ≠_____

2. la guerre   ≠_____

3. gros   ≠_____

4. encouragement   ≠_____

5. crédit   ≠_____

C **Trouve un mot de la même famille que les mots suivants.**

1. surveiller   _____

2. monstre   _____

3. rouge   _____

4. parents   _____

5. sommeil   _____

6. utile   _____

7. misérable   _____

8. genou   _____

9. sentir   _____

10. écrire   _____

Compréhension

A Relis le chapitre 4. Mets les phrases suivantes dans l'ordre chronologique de 1 à 5.

(1 = le premier événement; 5 = le dernier événement)

☐ M. d'Estragon arrête la caravane et abandonne ses trois passagers sur le bord de la route 132.

☐ Jo et Luce se disputent dans la caravane.

☐ Marc-André et Hugo réussissent à s'échapper de la gare d'autobus.

☐ Marc-André se rend compte que ses parents ne le reconnaissent plus.

☐ L'homme à la gare d'autobus de Matane refuse de vendre des billets à Marc-André.

B Réponds aux questions suivantes en phrases complètes.

1. Pourquoi est-ce que la police poursuivait les quatre voyageurs?

_____

_____

2. D'après Marc-André, pourquoi les gens de l'hélicoptère voulaient-ils capturer Sophie et Hugo?

_____

_____

3. Pourquoi est-ce que Luce a appelé Sophie et Hugo «des erreurs biologiques»?

_____

_____

4. Pourquoi est-ce que le policier a demandé si Hugo était déguisé pour l'Halloween?

_____

_____

5. Comment est-ce que le petit Hugo a prouvé qu'il avait l'imagination d'un écrivain?

_____

_____

Révision
Le passé composé et l'imparfait

Lis la phrase suivante tirée du Chapitre 4 : *Les soupçons de Luce.*

- Soudain, j'**ai ressenti** une émotion très forte pour cet enfant qui **était** mon père…

---

le passé composé exprime…

- une action qui cause une interruption
- une action de courte durée
- une action qui commence après une autre
- une action soudaine

On utilise souvent (mais pas toujours) le passé composé après : *tout à coup, soudain, quand, lorsque.*

l'imparfait exprime…

- une action continue ou prolongée
- une action de longue durée
- une apparence, un état ou une attitude
- une action habituelle ou répétitive

On utilise souvent (mais pas toujours) l'imparfait après : *pendant que, souvent, d'habitude, tous les jours.*

Voici les événements du chapitre racontés par Luce. Mets les verbes entre parenthèses au *passé composé* **ou à l'**imparfait** selon le cas.**

Exemple : J' (suggérer) *ai suggéré* à mon père d'emmener les quatre voyageurs avec nous parce qu'ils (avoir) *avaient* besoin d'aide.

1. Marc-André (avoir) _____ l'air inquiet quand des voitures de police nous (dépasser)

   _____.

2. J' (demander) _____ à Marc-André pourquoi il me (cacher) _____

   la vérité.

3. Soudain, j' (remarquer) _____ que Marc-André et Hugo (se ressembler)

   _____ beaucoup. Ils (avoir) _____ les épaules étroites et de longs

   bras minces.

4. En plus, pendant que je les (regarder) _____, ils (rapetisser) _____

   encore.

5. Tout de suite, j' (sauter) _____ de mon siège pour parler à mon père qui (conduire)

   _____ la caravane.

> **→ Références : Cahier p. 15 et Anthologie p. 128**

As-tu observé?
Les pronoms personnels d'objet

Le pronom personnel d'objet représente la personne (les personnes) qui reçoit (reçoivent) l'action du verbe.

Lis les phrases suivantes. Attention au pronom personnel d'objet!

1. **Me** voici!

2. C'est bizarre, parce que je ne **te** connais pas.

3. Deux auto-patrouilles **nous** attendent!

4. Vous **m'**avez menti…

5. Je devrais **vous** dénoncer, mais je suis un bon diable.

me	te	nous	vous

Hum... quelle est la règle?

a) Au *présent* et à l'*imparfait*, on place le pronom personnel d'objet _____ le verbe.

b) Au *passé composé*, on place le pronom personnel d'objet _____ l'auxiliaire.

c) On place le pronom personnel d'objet _____ les mots *voici* et *voilà*.

d) Devant une voyelle, *me* devient _____ et *te* devient _____.

e) D'habitude, on place le pronom personnel d'objet _____ l'infinitif.

Note : On place le pronom personnel d'objet devant les verbes suivants, même quand ils sont suivis d'un infinitif : *écouter, entendre, faire, laisser, regarder, sentir* et *voir*.

→ **Grammaire : Anthologie p. 104**

La place des pronoms personnels d'objet

Réponds aux questions suivantes selon les indices en utilisant *me*, *te*, *nous* ou *vous*. Attention à la place du pronom personnel d'objet!

1. Est-ce que les films d'action te plaisent?

   Oui, _____.

2. Est-ce que le premier ministre me connaît bien?

   Non, _____.

3. Vas-tu nous conduire à Percé l'été prochain?

   Non, _____.

4. Est-ce que la voiture noire t'a fait peur?

   Oui, _____.

5. Est-ce que les gens de l'hélicoptère vont vous poursuivre?

   Oui, _____.

6. Est-ce qu'elle te parlait quand le policier est arrivé?

   Oui, _____.

7. Est-ce qu'ils nous aideront à organiser notre voyage?

   Oui, _____.

8. Est-ce que les poursuites en auto vous amusent?

   Non, _____.

9. Est-ce que Marc-André t'intéresse, Josée?

   Non, _____.

10. Est-ce que tes amis peuvent te comprendre?

    Oui, _____.

Les pronoms personnels d'objet direct et indirect

Mets les phrases suivantes au *passé composé*.

1. Il me téléphone.

   M-A

2. Pourquoi est-ce que vous m'écrivez?

   _____

3. Tu nous réponds immédiatement.

   _____

4. Mes parents me demandent de faire de mon mieux à l'école.

   _____

5. Il ne vous dit pas la raison.

   _____

6. Qui nous écrit ce courriel?

   _____

7. Pourquoi est-ce que tu ne me donnes pas ton opinion?

   _____

8. Vous nous parlez après les cours.

   _____

9. Je te téléphone pour expliquer le projet.

   _____

10. Elle nous montre des photos de ses vacances en Italie.

    _____

 Chapitre 4 : Les soupçons de Luce Copyright © Addison Wesley

Questions personnelles

Réponds aux questions suivantes en phrases complètes. Donne deux détails de ta vie personnelle pour chaque réponse.

Exemple :   Qu'est-ce qui te plaît?
   Le sport et la musique me plaisent.

1. Qu'est-ce qui te plaît?

   _____

2. Qu'est-ce qui ne te plaît pas?

   _____

3. Qu'est-ce qui t'intéresse?

   _____

4. Qu'est-ce qui t'inquiète?

   _____

5. Qu'est-ce qui te faisait peur quand tu étais petit(e)?

   _____

6. Qu'est-ce qui te fait peur maintenant?

   _____

7. Tes amis et toi, qu'est-ce qui vous amuse?

   _____

8. Qui t'a beaucoup aidé dans la vie?

   _____

9. Qu'est-ce que votre professeur de français vous demande souvent de faire?

   _____

10. Qui t'a téléphoné la semaine dernière?

   _____

As-tu observé?
Les prépositions avec les noms géographiques

Les prépositions *à*, *au*, *aux* et *en* devant un nom géographique indiquent la situation ou la direction.

A **Lis les phrases suivantes. Attention aux prépositions!**

1. Il fallait donc arriver **à Percé** au plus vite.
2. Il y a sûrement une gare d'autobus **à Matane**.
3. Es-tu déjà allé **à l'île du Prince-Édouard**?
4. Mon oncle habite **à Hawaii**.

Hum... quelle est la règle?

On utilise la préposition _____ devant les noms de _____ et d'_____.

B **Lis les phrases suivantes. Attention aux prépositions!**

1. **En Colombie-Britannique**, il y a beaucoup de montagnes.
2. As-tu déjà voyagé **en France**?
3. Nous habitons **en Australie**.
4. La ville de Toronto est **en Ontario**.
5. Mon père est né **en Iran**.

Hum... quelle est la règle?

a) On utilise la préposition _____ devant les noms féminins de _____, de _____ et de _____. La plupart de ces noms féminins se terminent en _____.

   (**Attention!** *la Saskatchewan* est un nom féminin et *le Mexique* est un nom masculin.)

b) On utilise la préposition _____ devant les noms masculins de _____ et de _____ qui commencent par une voyelle.

C **Lis les phrases suivantes. Attention aux prépositions!**

1. Marc-André et Josée habitent **au Québec**.
2. **Au Canada**, il neige en hiver.
3. Je vais aller **aux Bahamas** pendant les vacances d'hiver.
4. Mon meilleur ami a déménagé **aux États-Unis**.

Hum... quelle est la règle?

a) On utilise la préposition _____ devant les noms masculins de _____, de _____ et de _____ qui commence par une consonne.

b) On utilise la préposition _____ devant les noms au pluriel de _____ ou de groupes d'_____.

→ **Grammaire : Anthologie p. 116**

Prépositions avec noms géographiques

A **Complète les phrases suivantes avec les prépositions de lieux : *à*, *au*, *aux* ou *en*.**

      Exemple :   Les Grands lacs sont _en_ Ontario.

      Exemple :   Le premier ministre habite _à_ Ottawa.

1. Cet hiver, nous allons faire du ski _____ Alberta.

2. La ville de Winnipeg se trouve _____ Manitoba.

3. _____ l'île du Prince-Édouard, la terre a le teint rouge.

4. Il neige plus _____ Nouvelle-Écosse qu' _____ Toronto.

5. L'été dernier, nous sommes allés _____ Terre-Neuve.

6. _____ Nunavut, on parle inuktitut.

7. On produit beaucoup de céréales _____ Saskatchewan.

8. Quand vous êtes _____ Québec, allez-vous _____ Montréal?

9. Est-ce que la ville de Fredericton est _____ Nouveau-Brunswick?

10. Il fait froid _____ Yukon.

11. Je vais aller voir mes grands-parents _____ Lisbonne _____ Portugal.

12. Ma mère est née _____ Inde.

13. Je veux aller _____ Suisse pour manger du chocolat.

14. Quelles langues est-ce qu'on parle _____ Pays-Bas?

15. Combien de Canadiens habitent _____ Mexique?

16. Quand tu as voyagé _____ Brésil, es-tu allé _____ Rio de Janeiro?

17. D'habitude, il fait plus chaud _____ Cuba qu'_____ Canada.

18. Mes parents vont aller _____ Caraïbes.

19. Quels pays se trouvent _____ Europe?

20. Le Japon est _____ Asie.

B **Réponds aux questions suivantes en phrases complètes. Attention aux prépositions!**

1. Dans quels pays est-ce que le français est la langue officielle?

    _____

2. Dans quels pays est-ce que l'anglais est la langue officielle?

    _____

Chapitre 5 : Une horrible révélation
Vocabulaire

Trouve la définition de la colonne B qui correspond aux mots en caractères gras dans les phrases de la colonne A.

Exemple : ☐ k   **Fiche-moi la paix!** a hurlé Sophie en repoussant son mari.

Colonne A

☐ 1. Les enfants **ne tiennent plus debout**.

☐ 2. **Rendons-nous** aux policiers, Marc-André!

☐ 3. Mais ils finiront bien par constater que tes parents rajeunissent **à vue d'œil**!

☐ 4. Le petit **poing** de maman était encore en l'air.

☐ 5. Il fallait **empêcher** les bandits de nous les prendre.

☐ 6. Viens, tante Jo va s'occuper de toi, **mon petit chou**.

☐ 7. **Il fallait fuir** ces criminels et protéger les petits.

☐ 8. Tout à coup, les troncs **se sont espacés**, et un champ s'est ouvert devant nous.

☐ 9. Elle **avait l'air de** porter un parachute.

☐ 10. Il faut être **un salaud** pour m'avoir mêlée à une telle histoire!

Colonne B

a) mon chéri

b) très rapidement

c) sont très fatigués

d) la main fermée

e) Soumettons-nous

f) ne pas permettre à

g) Il était nécessaire de nous échapper de

h) sont devenus moins nombreux

i) une personne moralement répugnante

j) semblait

k) Laisse-moi tranquille!

Quels mots?

A Trouve le synonyme des mots suivants.

1. une dispute = _____

2. des bébés = _____

3. des insultes = _____

4. une petite bouteille pour les bébés = _____

5. un trou = _____

B Trouve un mot de la même famille que les mots suivants.

1. possible ≠ _____

2. brusque ≠ _____

3. grandir ≠ _____

4. pleurer ≠ _____

5. dire ≠ _____

6. déchirer ≠ _____

7. clair ≠ _____

8. ronfler ≠ _____

9. mobile ≠ _____

10. ouvrir ≠ _____

C Encercle le mot qui n'appartient pas à la liste.

Exemple : un œil	un cerveau	un visage	(une jambe)	une bouche
1. un pied	une jambe	un genou	une cuisse	un poing
2. un poupon	une couche	un chalet	un biberon	un enfant
3. un réflexe	une injure	un salaud	un imbécile	une insulte
4. un ronflement	épuisé	fatigué	un caillou	bâiller
5. survoler	décoller	un avion	une auto-patrouille	atterrir
6. fuir	poursuivre	échapper	suivre	sembler
7. une chicane	casser	pourrir	salir	briser
8. pleurer	pleuvoir	une larme	pleurnichard	crier
9. grandir	rapetisser	empêcher	agrandir	rajeunir
10. une cuisse	un coude	un poing	un doigt	un bras

Compréhension

A **Relis le chapitre 5. Puis lis les remarques imaginaires suivantes. Quel personnage parle?**

1. «Je ne veux plus jouer avec toi parce que tu m'as donné un coup de poing!»

   _____

2. «Si on demande de l'aide à la police, on n'arrivera jamais à Percé.»

   _____

3. «Mes vêtements sont trop grands. J'ai l'air de porter un parachute!»

   _____

4. «Il faut trouver un magasin pour acheter des provisions. Tout le monde a faim.»

   _____

5. «Si vous m'assurez que votre histoire est vraie, je vous aiderai.»

   _____

B **Réponds aux questions suivantes en phrases complètes.**

1. Quelle est la révélation indiquée par le titre du chapitre?

   _____

   _____

2. Comment se comportent Sophie et Hugo en tant que jeunes enfants? Donne des exemples.

   _____

   _____

3. Décrivez le chalet où Jo, Marc-André et ses parents ont passé la nuit.

   _____

   _____

4. Pourquoi est-ce que l'arrivée de la police a aidé Jo et Marc-André?

   _____

   _____

5. À ton avis, pourquoi est-ce que les kidnappeurs veulent attraper Sophie et Hugo?

   _____

   _____

As-tu observé?

L'ordre des pronoms d'objet

Lis les phrases suivantes tirées du chapitre 5. Attention à la place et à l'ordre des pronoms d'objet : *me, te, se, nous, vous, l', le, la, les, lui* **et** *leur***!**

1. Pourquoi tu ne **me le** donnes pas?

2. … il va **te le** redonner…

3. Je vais **te le** mettre sur l'œil, et tu seras guéri.

4. Je **vous le** jure!

Hum… quelle est la règle?

a) Quand il y a deux pronoms d'objet dans une phrase, on place les pronoms dans l'ordre suivant.

Pronom sujet	Pronom objet		Verbe ou auxiliaire*
je			
tu	me		
il	_____	le	lui
elle		la	
on	nous		
nous	_____	_____	_____
vous		_____	
ils			
elles			

b) Au *présent*, au *futur simple* et à l'*imparfait*, on place les pronoms d'objet _____ le verbe.

c) Au *passé composé*, on place les pronoms d'objet _____ l'auxiliaire.

Exemple : Tu ne **me l'**___ pas donné.

d) ***Attention :** Quand un verbe est suivi d'un infinitif, on place les pronoms d'objet _____ l'infinitif.

→ Grammaire : Anthologie p. 108

L'ordre des pronoms

A Remplace les mots en caractères gras par le bon pronom : *me, te, se, nous, vous, l', le, la, les, lui,* ou *leur*. Attention à la place et à l'ordre de ces pronoms!

Exemple : Le pilote offre **son aide à Jo et à Marc-André**. _Le pilote la leur offre_.

1. Marc-André explique **la situation à Jo**. _M-A la lui explique..._

2. Le pilote montre **son courage à Marc-André**. _Le pilote le lui mon..._

3. Le gérant offrait **l'entrée gratuite aux enfants**. _Le gérant la leur offrait..._

4. Jo ne racontera pas **son histoire à Luce**. _Je ne la lui racontera pas_

5. Qui va acheter **les couches aux bébés**? _Qui va les leur acheter?_

6. Sophie ne veut pas donner **le bâton à Hugo**. _Sophie ne veut pas le lui donne_

7. Je ne peux pas apporter **la nourriture au pilote**. _Je ne peux pas_

8. Sophie n'a pas demandé **un baiser à Hugo**. _____

9. Ce n'est pas Hugo qui a donné **un coup de poing à Sophie**. _____

   _____

10. Les policiers n'ont pas remis **l'argent aux voyageurs**. _____

    _____

B Réponds à la question et remplace les mots en caractères gras par le bon pronom : *me, te, se, nous, vous, l', le, la, les, lui* ou *leur*. Attention à la place et à l'ordre de ces pronoms!

Exemple : Tu **me** donnes **ton adresse**? _Oui, je te la donne_.

1. Léo Lepitre **te** donne **la solution**? Oui, _____.

2. Tu **m'**as donné **les billets**? Non, _____.

3. Je **te** raconterai **mes vacances**? Non, _____.

4. Vous **m'**avez apporté **le journal**? Oui, _____.

5. Nous **vous** expliquons **le problème**? Oui, _____.

Encore des pronoms!

Réponds aux questions suivantes à l'affirmatif ou au négatif. Dans ta réponse, remplace les mots en caractères gras par le bon pronom : *me, te, se, nous, vous, l', le, la, les, lui,* **et** *leur.* **Attention à la place et à l'ordre de ces pronoms!**

1. Est-ce que tes parents **te** donneront **la bicyclette verte** pour ta fête?

   Non, _ils ne me la donneront pas_.

2. Est-ce que les agents de police veulent poser **les mêmes questions à tous les passagers**?

   Oui, _ils veulent les leur poser_.

3. Vous **m'**avez donné **l'argent** hier?

   Oui, _nous te l'avons donné hier_.

4. Avons-nous envoyé **le courriel aux parents de Jo**?

   Non, _vous ne le leur avez pas envoyé_.

5. Montrerez-vous **la fente dans le mur aux bandits**?

   Non, _nous ne la leur montrerons pas_.

6. Est-ce que vous **m'**achèterez **les billets de train**?

   Oui, _je te les achèterai_.

7. Achèteras-tu **les couches aux bébés**?

   Non, _je ne les leur achèterai pas_.

8. Ont-ils expliqué **le problème au policier**?

   Oui, _ils le lui ont expliqués_.

9. Est-ce que la police va apporter **les provisions à Marc-André et à Jo**?

   Oui, _la police va les leur apporter_.

10. Le gérant du musée dira-t-il **la vérité à Marc-André**?

    Non, _il ne la lui dira pas_.

Chapitre 6 : Le génie scientifique
Vocabulaire

À l'aide du code numérique, trouve les mots qui correspondent aux définitions suivantes. Puis décode le message-mystère au bas de la page. Fais attention aux accents!

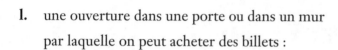

$$\underset{(1)}{\underline{J}} \quad \underset{(2)}{\underline{E}} \quad \underset{(3)}{\underline{U}} \quad \underset{(4)}{\underline{N}} \quad \underset{(2)}{\underline{E}}$$

1. une ouverture dans une porte ou dans un mur par laquelle on peut acheter des billets :

   un __ __ __ __ __ __ __
      (20) (3) (7) (12) (10) (2) (13)

2. arriver à terre :

   __ __ __ __ __ __ __ __
   (6) (13) (13) (2) (5) (5) (7) (5)

3. affiche qui donne un message au public :

   une __ __ __ __ __ __ __ __
       (15) (6) (4) (12) (6) (5) (13) (2)

4. expérimenter, c'est faire…

   une __ __ __ __ __ __ __ __ __
       (2) (14) (15) (22) (5) (7) (2) (4) (12) (2)

5. faire une erreur :

   se __ __ __ __ __ __ __
      (13) (5) (8) (9) (15) (2) (5)

6. le fait de stationner un véhicule :

   le __ __ __ __ __ __ __ __ __ __ __ __ __
      (16) (13) (6) (13) (7) (8) (4) (4) (2) (9) (2) (4) (13)

7. joindre deux surfaces (avec de la colle) :

   __ __ __ __ __ __
   (12) (8) (11) (11) (2) (5)

8. faire tomber :

   __ __ __ __ __ __ __ __ __
   (5) (2) (4) (18) (2) (5) (16) (2) (5)

9. siège avec des bras :

   un __ __ __ __ __ __ __ __
      (19) (6) (3) (13) (2) (3) (7) (11)

10. commencer à mal fonctionner :

    se __ __ __ __ __ __ __ __ __
       (17) (22) (13) (5) (6) (21) (3) (2) (5)

Le message-mystère :

__ __   __ __ __ __ __   __ __ __ __ __ __ __   __ __ __ __ __
(8) (4) (22) (13) (6) (7) (13) (10) (2) (3) (5) (2) (3) (14) (15) (6) (5) (12) (2)

__ __ __   __ __ __ __   __ __ __ __ __ __ __   __   __ __ __ __ __
(21) (3) (2) (9) (6) (5) (12) (6) (4) (17) (5) (22) (6) (16) (6) (3) (18) (22)

__ __   __ __ __   __ __   __ __ __   __ __ __ __ __ __ __.
(11) (6) (18) (7) (2) (17) (2) (16) (2) (16) (15) (6) (5) (2) (4) (13) (16)

__ __ __ __ __   __ __   __ __ __ __ __   __ __ __ __   __ __ __ __.
(1) (8) (16) (22) (2) (2) (13) (11) (3) (12) (2) (11) (8) (4) (13) (6) (7) (17) (22)

Compréhension

A **Relis le chapitre 6. Pour chaque action, écris le nom du personnage qui en est responsable. Pour certaines actions, il sera nécessaire d'indiquer plus d'un nom.**

1. _____ a provoqué le processus de rajeunissement.

2. _____ a confronté Léo Lepitre.

3. _____ est entré(e) dans *La machine à rajeunir* par le toit.

4. _____ a renversé le processus de rajeunissement.

5. _____ ne portaient pas de vêtements.

B **Réponds aux questions suivantes en phrases complètes.**

1. Pourquoi Marc-André a-t-il vite trouvé *La machine à rajeunir*?

   _____

2. Qu'est-ce que Léo Lepitre a fait pour provoquer le rajeunissement? Pourquoi?

   _____

3. Pour renverser le processus de rajeunissement, qu'est-ce qu'ils ont dû faire?

   _____

4. Pourquoi Luce a-t-elle surpris Marc-André?

   _____

5. **a)** À ton avis, qui sont les gens en noir? Cite trois faits de l'histoire pour prouver ta théorie.

   _____

   b) À ton avis, qu'est-ce qui va arriver aux gens en noir?

   _____

Révision
L'ordre des pronoms

Lis les phrases suivantes tirées du Chapitre 6 : *Le génie scientifique.*

1. Vous **les leur** avez donnés parce qu'ils étaient les clients numéros 100 et 101.

2. Une fois que vous **les y** mettrez, j'appuierai sur le bouton rouge, et tes parents se remettront à vieillir.

3. Ils vont encore essayer de **nous les** prendre.

Pronom sujet	Pronom objet			Verbe ou auxiliaire*
je				
tu	me			
il	_____	le		
elle		la	lui	
on	nous			
nous	_____	_____	_____	y
vous				
ils				
elles				

*Si le verbe est suivi d'un infinitif, le pronom d'objet précède l'infinitif.

Attention! : On utilise le pronom *y* pour représenter une préposition + un endroit.

> Exemple : Es-tu allé à la piscine? Oui, j'y suis allé.

Récris les phrases suivantes en remplaçant les mots en caractères gras par le bon pronom (le, la, l', les, lui, leur, y). Attention à la place des pronoms!

> Exemple : Je donne **les instructions à Léo Lepitre**.
> Je <u>les lui</u> donne.

1. On donne **la couverture à ma mère**. _____

2. Luce ne nous montrait pas **son visage**. _____

3. Est-ce que je dois donner **les nouvelles aux policiers**? _____
   _____

4. J'ai vu **l'homme en noir dans la salle de projection**. _____

5. Je vais toujours me rappeler **ces événements**. _____

→ Références : Cahier p. 35 et Anthologie p. 108

Révision
L'imparfait et le passé composé

Écrivons!

Lis les phrases suivantes tirées du Chapitre 6 : *Le génie scientifique.*

1. À ce moment-là, ils **avaient** 40 ans! Que leur **avez**-vous **fait**?

2. Malgré les cheveux qui **cachaient** le visage de Luce, j'**ai vu** qu'elle **était** inquiète.

A **Dans les phrases suivantes, <u>souligne</u> les verbes qui représentent une action soudaine, et (encercle) les verbes qui décrivent un état ou une action prolongée dans le passé.**

    Exemple : J'<u>ai vu</u> Léo Lepitre. Il (était) dans la rue.

1. Il a ensuite regardé les policiers qui discutaient avec Superhéros.

2. Les policiers sont arrivés. J'avais peur.

3. Luce semblait timide quand elle m'a regardé.

4. Nous sommes entrés dans la salle où se trouvaient des dessins psychédéliques.

5. Mon père était si léger que je ne le sentais presque plus quand je l'ai serré dans mes bras.

B **Dans les phrases suivantes, mets les verbes indiqués au temps approprié.**

    Exemple : Marc-André (remarquer) <u>a remarqué</u> que Luce (avoir) <u>avait</u> un visage délicat.

1. Nous (aller) _____ vers les bébés quand, tout à coup, nous (entendre) _____ la voix d'un policier.

2. Luce, tu (sembler) _____ inquiète quand tu (finir) _____ la programmation de l'appareil.

3. Je (aller) _____ jusqu'à la boîte qui (être)_____ fixée contre la porte.

4. Sophie et Hugo (avoir) _____ l'air perdu quand ils (redevenir) _____ adultes.

5. Marc-André (rougir) _____ pendant qu'il (regarder) _____ le visage de Luce.

➜ **Références : Cahier p. 15 et Anthologie p. 128**

Révision
L'imparfait pour la description

Lis les phrases suivantes tirées du Chapitre 6 : *Le génie scientifique*.

1. Hugo **avait** son bedon et ses cheveux rares. Sophie **avait** ses petites rides...

2. Hugo et Sophie n'**avaient** plus un cheveu sur la tête. Leur peau **était** rose et plissée.

3. Dans la deuxième salle **se trouvaient** des dessins psychédéliques...

Dans les phrases suivantes, mets les verbes indiqués à l'*imparfait*.

> **Exemple :** Le corridor de l'entrée (donner) <u>donnait</u> sur trois salles.

1. Hugo, l'adolescent, et Marc-André (se ressembler) _____. Ils (être)

   _____ minces et (avoir) _____ les épaules étroites.

2. Sophie (rire) _____ de toutes ses dents. Elle (être) _____ si mignonne.

3. Dans la première salle, on (pouvoir) _____ voir des vêtements des années 60.

4. Il y (avoir) _____ une porte en métal et une fois la porte fermée, la salle (devenir)

   _____ hermétique.

5. Pendant que Superhéros et moi (aider) _____ mes parents, les policiers nous (observer)

   _____.

6. Luce (avoir) _____ un visage délicat et de beaux yeux bleus et clairs.

7. Léo Lepitre (être) _____ un homme honnête. Il ne (savoir) _____ pas qu'il

   (aller) _____ causer des ennuis.

8. Les responsables (choisir) _____ des gens au hasard. Ils (faire) _____ des

   expériences sans leur parler.

9. On (voir) _____ à l'écran des chiffres qui (diminuer) _____.

10. Marc-André (être) _____ impressionné par le travail de Luce et il l'(aimer) _____

    bien.

> ➜ **Références : Cahier p. 10 et Anthologie p. 126**

Révision
Les usages de l'imparfait et du passé composé

A **Classe les mots utiles dans la bonne catégorie.**

le passé composé exprime...	l'imparfait exprime...
_____	_____
_____	_____
_____	_____
_____	_____
On utilise souvent (mais pas toujours) le passé composé après : *tout à coup, soudain, quand, lorsque.*	On utilise souvent (mais pas toujours) l'imparfait après : *pendant que, souvent, d'habitude, tous les jours.*

Mots utiles

une action de longue durée   une action continue ou prolongée   une action de courte durée

une action habituelle ou répétitive   une action soudaine   une action qui cause une interruption

une action qui commence après une autre   une apparence, un état ou une attitude

Luce raconte à Marc-André son voyage jusqu'à *La machine à rajeunir*. Mets les verbes indiqués au temps approprié (au *passé composé* ou à l'*imparfait*).

Comme tu le sais, nous vous (laisser) _____ sur le bord de la route 132, pas loin de

Matane. Puis nous (partir) _____ pour Percé. Pendant que mon père (conduire)

_____, j'(être) _____ perdue dans mes pensées. Je (ne pas vouloir)

_____ parler et, heureusement, mon père (garder) _____ le silence.

À Matane, nous (faire) _____ une pause-café dans une station-service. Nous (avoir)

_____ faim, alors Papa nous (acheter) _____ deux pointes de pizza et

nous (manger) _____ à une petite table dans la cafétéria. La pizza (être) _____

délicieuse, mais je (penser) _____ à autre chose. Mon père me (regarder)

_____ pendant que je (réfléchir) _____.

Après la pause-café, nous (aller) _____ aux distributeurs d'essence, et mon père

(remplir) _____ le réservoir de la voiture. En dépit des conseils de mon père, je (cont-

inuer) _____ à réfléchir pendant que j'(attendre) _____ dans la

voiture. Nous (être) _____ encore sur la route de Percé quand, tout à coup, je (arriver)

_____ à comprendre la situation!

➜ Références : Cahier p. 15 et Anthologie p. 128

Résumé du texte

A **Les personnages : classe les personnages de l'histoire dans les catégories suivantes. Puis identifie un trait de caractère qui représente bien chaque personnage.**

1. Sophie
2. Luce
3. Josée
4. Henri-François d'Estragon
5. Superhéros
6. Marc-André
7. Hugo
8. Léo Lepitre
9. Les gens en noir

personnages principaux		personnages secondaires	
nom	**trait**	**nom**	**trait**
_____	_____	_____	_____
_____	_____	_____	_____
_____	_____	_____	_____
_____	_____	_____	_____
_____	_____	_____	_____

Quel est ton personnage préféré? Pourquoi?

_____

B **L'intrigue : réponds aux questions suivantes pour identifier les éléments de l'histoire.**

1. Quel événement se produit au début de l'histoire? Écris-le sur le diagramme ci-dessous.
2. Quels événements ont amené l'histoire à son point culminant? Écris-les sur le diagramme.
3. Quel est le point culminant de l'histoire? Écris-le sur le diagramme.
4. Quels événements font partie du dénouement? Écris-les sur le diagramme.

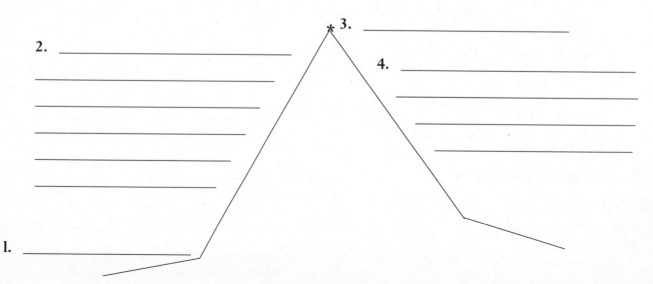

2. _____

1. _____

3. _____

4. _____

Chapitre 6 : Le génie scientifique Copyright © Addison Wesley

Sélection 1 : Poésie
Vocabulaire

A **Dans les poèmes, trouve la forme conjuguée des infinitifs suivants.**

      Exemple :   souffrir   _j'ai souffert_

1. se tromper   _____

2. pleurer   _____

3. émouvoir   _____

4. se fâcher   _____

5. se perdre   _____

6. comprendre   _____

7. exprimer   _____

8. avoir   _____

9. savoir   _____

10. se moquer   _____

B **Trouve l'antonyme des mots suivants.**

1. froide   ≠ _____

2. ma joie   ≠ _____

3. inacceptable   ≠ _____

4. compliquée   ≠ _____

5. rendre malade   ≠ _____

C **Trouve le synonyme des expressions suivantes.**

1. j'ai fait une faute   = _____

2. mon bonheur   = _____

3. c'est essentiel   = _____

4. une mère ou un père   = _____

5. une pierre précieuse qui est verte   = _____

Compréhension

A **Selon le style de la phrase, à quel poème est-ce que chaque énoncé peut correspondre?**

1. Tu exprimes mon bonheur. _____

2. Mon ami m'a dit qu'il comprend. _____

3. Ma beauté sait courir, marcher, danser. _____

4. Moi, j'ai crié. _____

5. Elle est bleue comme le ciel. _____

B **Réponds aux questions suivantes en phrases complètes.**

1. Dans quelle situation penses-tu que le poète a souffert, dans le poème *La leçon*?

    _____.

2. Pourquoi penses-tu que le poète «comprend», à la fin du poème?

    _____.

3. Quelles émotions est-ce que la langue française exprime dans *Mon français*?

    _____.

4. Dans le poème *Mon français*, qu'est-ce que le poète pense de la langue française?

    _____.

5. Quelle est l'ironie du titre *C'est pour moi*?

    _____.

6. Donne un exemple de personnification dans ce poème.

    _____.

7. À quoi est-ce que le poète compare la nature, dans le dernier poème?

    _____.

8. Qu'est-ce que tu trouves beau dans la vie?

    _____.

9. Quel poème préfères-tu? Explique ton choix.

    _____.

10. Lequel trouves-tu le plus difficile à comprendre? Pourquoi?

    _____.

As-tu observé?
Les verbes pronominaux au passé composé

A Les verbes pronominaux réfléchis

On emploie les verbes pronominaux réfléchis pour indiquer que le sujet fait et reçoit l'action. Compare les phrases suivantes.

1. Je **me** suis blessé. / Je **me** suis blessée. / Nous ne **nous** sommes pas blessés.

2. Je **me** suis perdu. / Tu **t'**es perdue, Diane? / Ils ne **se** sont pas perdus.

3. Il **s'**est lavé. / Elle **s'**est lavée.

4. Elle **s'**est lavé les mains. / Elle ne **s'**est pas lavé les mains.

Hum... quelle est la règle?

a) Au *passé composé*, les verbes pronominaux réfléchis sont conjugués avec l'auxiliaire _____.

b) Au *passé composé*, on place le pronom réfléchi toujours devant _____.

c) Au négatif, on place *ne* _____ le pronom réfléchi et on place *pas* _____ l'auxiliaire.

d) D'habitude, le participe passé s'accorde avec _____ en genre et en nombre.

e) Si l'objet direct se trouve _____ le verbe, il n'y a pas d'accord.

B Les verbes pronominaux réciproques

On emploie les verbes pronominaux réciproques pour exprimer une action entre deux ou plusieurs personnes. Compare les phrases suivantes.

1. Paul et toi, vous **vous** êtes disputés.

2. Les trois filles **se** sont réunies dans le centre commercial.

3. Nous **nous** sommes parlé la semaine dernière.

Hum... quelle est la règle?

a) On ne peut pas conjuguer les verbes pronominaux réciproques au singulier. Ils sont toujours conjugués _____.

b) Quand un verbe pronominal réciproque prend un _____ indirect, on ne fait pas d'accord. Par exemple :

se parler	s'acheter	se demander
se dire	se donner	s'écrire
s'offrir	se promettre	se téléphoner

→ **Grammaire : Anthologie p. 120**

Le passé composé
des verbes pronominaux 1

A Change le sujet des phrases suivantes. Utilise le nouveau sujet entre parenthèses et fais tous les changements nécessaires.

Exemple : **Je me suis perdu** dans la forêt. (Elle)

Elle s'est perdue dans la forêt.

1. Vous vous êtes arrêtés devant la maison. (Il) Il s'été arrêté devant la maison

2. Nous nous sommes trompés deux ou trois fois. (Je) Je me suis trompé deux.

3. Tu t'es fâché contre nous. (Ils) Ils se sont fâchés contre nous

4. Ils se sont blessés. (Tu) Tu t'es blessé.

5. Mon père s'est réveillé tard. (Mes grands-parents) Mes grands-parents se sont réveillé

6. Anne s'est levée. (Bernard) Bernard s'est lavé.

7. Elles se sont préparées. (Mon ami et moi) Mon ami et moi nous sommes préparés.

8. Nous nous sommes ennuyés. (Elles) Elles se sont ennuyées.

9. Vous vous êtes calmés. (Je) Je me suis calmée.

10. Je me suis fâché. (Elles) Elles se sont fâchées.

10/10 🙂

B Mets les phrases suivantes au _négatif_.

Exemple : Elle s'est promenée au bord du lac.

Elle ne s'est pas promenée au bord du lac.

1. Nous nous sommes amusés à lire cette histoire.

   Nous ne nous sommes pas amusés à lire ... .

2. Maman s'est occupée de mon chien.

   Maman ne s'est pas occupée de mon chien.

3. Ils se sont présentés pour l'emploi.

   Ils ne se sont pas présentés pour l'emploi.

4. Je me suis blessé dans un accident.

   Je ne me suis pas blessé dans un accident.

5. Tu t'es lavée?

   Tu ne t'es pas lavée?

5/5

Le passé composé
des verbes pronominaux II

A **Récris le paragraphe suivant au *passé composé*. Attention à l'accord!**

Sonia se réveille[1] en retard ce matin. Prise de panique, elle se lève[2] rapidement, va[3] dans la salle de bains, et là elle se lave[4]. Puisqu'elle n'a[5] pas le temps, elle ne se brosse[6] pas les cheveux. Après, elle s'habille[7] et se prépare[8] pour l'école. Elle quitte[9] la maison, mais malheureusement elle ne marche[10] pas assez vite et elle manque[11] son autobus. Quel matin horrible!

Sonia s'est réveillée en retard ce matin. 2. elle s'est lèvée. 3. el

3 elle s'allée. 4. elle s'est lavée.

5. elle n'à pas eu 6. elle ne s'est pas brossé.

2. elle s'est habillée 8. s'est préparée 9. elle a quitté

10. elle n'a pas marché 11. elle a manqué

B **Réponds aux questions suivantes au *passé composé* d'après l'exemple.**

> Exemple : Te laves-tu?
>
> **Non, je me suis déjà lavé.**

1. S'habille-t-elle? Oui, elle s'est habillée.
2. Vous préparez-vous? Oui, nous nous sommes préparés.
3. Se rasent-ils? Non, ils se sont déjà rasent.
4. Nous présentons-nous? Non, nous nous sommes déjà présentés.
5. Se calment-elles? Non, elles se sont déjà calmées.

C **L'accord ou non? Complète les phrases suivantes. Attention à l'accord.**

> Exemple : (se laver) Elle _____ dans la salle de bains.
>
> **Elle s'est lavée dans la salle de bains.**

1. (se laver) Elle s'est lavé les mains.
2. (se réveiller) Nous nous sommes réveillés très tôt.
3. (s'arrêter) Ils se sont arrêtés devant l'école.
4. (se brosser) Vous vous êtes brossé les dents.
5. (se perdre) Je me suis perdue dans le centre-ville.

Le passé composé des verbes pronominaux III

Écrivons!

A **L'accord ou non? Mets les verbes réciproques au *passé composé*. Attention à l'accord!**

Exemple :   Les amis se téléphonent tous les jours.

Les amis se sont téléphoné tous les jours.

1. Anne et Sophie s'aident.

   Elles se sont aidées. ✓

2. Le professeur et les élèves se parlent.

   Le professeur et les élèves se sont parlé. ✓

3. Les gens se réunissent dans la cour.   réunis

   Les gens se sont réunissé ✗ dans la cour.

4. Bertrand et sa sœur se disputent.

   Bertrand et sa soeur se sont disputés. ✓

5. Elles se rencontrent pour discuter.

   Elles se sont rencontées pour discuter.

6. Jeannine et Joël s'aiment.

   Jeannine et Joël se sont aimés.

7. Ils s'entendent.

   Ils se sont entendus.

8. Vous et votre frère, vous vous quittez après le film.

   Vous et votre frère, vous vous êtes quittés après le film ✓

9. Moi et mon amie, nous nous écrivons.

   Moi et mon amie, nous nous sommes écrivé.   écrit

10. Ils s'envoient des lettres.   envoyé   écrit

   Ils se sont envoyé des lettres.

B **Indique si chaque verbe est <u>réfléchi</u> (souligne) ou (réciproque) (encercle).**

Anne-Marie et son amie Monique (se sont parlé) au téléphone. Normalement, (elles s'entendent)[1] très bien mais aujourd'hui elles <u>se sont disputées</u>.[2] Monique <u>s'est fâchée</u>[3] parce qu'Anne-Marie <u>s'est occupée</u>[4] des préparations pour une soirée sans la consulter. Les deux amies (se sont téléphoné)[5] le lendemain et Monique <u>s'est calmée</u>[6]. Après, elles <u>se sont habillées</u>[7] et se sont préparées[8] pour aller voir un film ensemble. Elles <u>se sont quittées</u>[9] à la fin de la soirée et elles <u>se sont vues</u>[10] le lendemain.

Des procédés stylistiques

A Crée d'autres comparaisons. Utilise les mots utiles.

Exemple : *Ma beauté est douce comme les nuages.*

1. Ma beauté est _____.

2. Ma vie est _____.

3. Ma tristesse est _____.

4. Ma curiosité est _____.

5. Ma colère est _____.

6. Mon histoire est _____.

7. Mon sens de l'humour est _____.

8. Mon amitié est _____.

9. Mes rêves sont _____.

10. Mes espoirs sont _____.

Mots utiles

beau (belle)	chaud(e) / froid(e)	doux (douce)	dur(e) / souple	fluide
gentil(le)	immense	jaune	lent(e) / rapide	libre
noir(e)	rose	rouge	vert(e)	violet (violette)

B Complète les exemples de personnification suivants.

Exemple : *Ma beauté, elle se moque parce qu'elle n'est pas sérieuse.*

1. Ma beauté, _____ parce que _____.

2. Mon caractère, _____ parce que _____.

3. Ma peur, _____ parce que _____.

4. Ma fierté, _____ parce que _____.

5. Ma joie, _____ parce que _____.

Mots utiles

s'amuser	chanter	créer	crier	s'exprimer
grandir	pleurer	rire	se fâcher	souffrir

Sélection 2 : Les frères et les sœurs : amis ou ennemis? Vocabulaire

A **Trouve dans le texte le synonyme des mots suivants.**

1. un ami   = _____

2. habite   = _____

3. des disputes   = _____

4. des problèmes   = _____

5. irriter   = _____

B **Trouve l'antonyme des mots suivants.**

1. distant   ≠ _____

2. détester   ≠ _____

3. beaucoup   ≠ _____

4. mauvaises   ≠ _____

5. amusant   ≠ _____

C **Trouve un mot de la même famille que les mots suivants.**

1. se maquiller   _____

2. la société   _____

3. sortir   _____

4. permettre   _____

5. un   _____

Mots croisés

Complète les mots croisés. Utilise les indices suivants. Regarde aussi le texte et les questions d'expansion de la sélection pour t'aider. Ne mets pas d'accents.

Horizontalement :

2. forme féminine de *chacun*

9. surveiller quelqu'un pour trouver des informations secrètes

11. enfant né après son frère ou sa sœur

12. personne qui n'a ni frère ni sœur (deux mots)

13. utiliser avec d'autres, prendre part à quelque chose

14. synonyme de *de temps en temps*

15. demander beaucoup, c'est être...

Verticalement :

1. énerver quelqu'un (deux mots)

3. discuter pour arriver à un accord

4. féminin de *copain*

5. ranger et nettoyer la maison ou l'appartement (trois mots)

6. synonyme d'*exemplaire*

7. tourmenter quelqu'un par de petites moqueries

8. le plus jeune enfant d'une famille

10. l'enfant le plus âgé de la famille

Compréhension

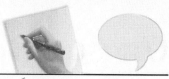

A **Relis la sélection 2. Réponds aux questions suivantes pour compléter le sondage. Puis présente tes réponses à la classe.**

1. Combien de frères as-tu? _____

2. Combien de sœurs as-tu? _____

3. Es-tu un / une enfant unique? _____

    (Si oui, réponds aux questions 7, 8, 9 et 10. Sinon, réponds aux questions 4, 5, 6 et 10.)

4. Quelle est ta place dans la famille? (l'aîné, le cadet, le benjamin) _____

5. As-tu souvent des conflits avec tes frères et sœurs? _____

6. Considères-tu tes frères et sœurs comme des amis? _____

7. Si tu es un / une enfant unique, à qui te confies-tu? _____

8. Aimes-tu être seul(e) parfois? _____

9. As-tu un(e) ami(e) ou un membre de famille que tu considères comme une sœur ou comme un frère? Qui? _____

10. Que partages-tu avec tes frères et sœurs ou d'autres membres de ta famille?

    a) _____

    b) _____

    c) _____

B **Réponds aux questions suivantes en phrases complètes.**

1. Lequel des cinq élèves, Sabrina, Jérome, Rosalie, Alexandre et Kaiya, te ressemble le plus?

    Pourquoi? _____

    _____

2. Lequel des cinq élèves te ressemble le moins? Pourquoi?

    _____

    _____

On écoute

Écoute le dialogue entre Daniel et sa sœur Christina. Écoute le dialogue encore une fois et puis indique si les phrases sont *vraies* ou *fausses*.

		vrai	faux
1.	Daniel ne peut pas trouver ses nouveaux disques compacts.	☐	☐
2.	Il les a prêtés à son ami.	☐	☐
3.	Christina et Daniel se disputent à cause des disques compacts.	☐	☐
4.	La chambre de Daniel est toujours bien rangée.	☐	☐
5.	Christina admet qu'elle est irresponsable.	☐	☐
6.	Christina a perdu les disques de Daniel.	☐	☐
7.	Daniel ne peut pas trouver son équipement de football.	☐	☐
8.	La guitare de Daniel est posée sur une pile d'objets dans sa chambre.	☐	☐
9.	Daniel trouve ses disques dans sa chambre.	☐	☐
10.	Christina trouve les disques sur le toit de la maison.	☐	☐

Sélection 3 : Les parfums
Vocabulaire

A **Trouve dans le texte un mot de la même famille que les mots suivants.**

1. enseigner _____

2. nettoyer _____

3. malade _____

4. rougir _____

5. se plaindre _____

6. mille _____

7. une transmission _____

8. la poudre _____

9. un arôme _____

10. calmer _____

B **Trouve l'antonyme des mots suivants.**

1. permis ≠ _____

2. explicable ≠ _____

3. naturel ≠ _____

4. irraisonable ≠ _____

5. bonne ≠ _____

C **Écris la lettre de la définition qui correspond le mieux aux mots suivants.**

☐ 1. un flacon   a) grande affiche

☐ 2. une perruque   b) qui réagit intensément

☐ 3. le musc   c) coiffure de faux cheveux

☐ 4. un panneau   d) petite bouteille

☐ 5. sensible   e) parfum préparé à partir d'une substance animale très odorante

Compréhension

A Relis la sélection 3. Vrai ou faux? Corrige les phrases fausses.

1. À Halifax, le parfum est interdit parce que les pays européens refusent de vendre du parfum au Canada.

   _____

2. Il est difficile de trouver des produits cosmétiques qui contiennent du parfum.

   _____

3. Aujourd'hui, il y a plus de parfums naturels que de parfums synthétiques.

   _____

4. Les Égyptiens, les Grecs et les Romains détestaient les parfums.

   _____

5. Les produits d'aromathérapie sont à base de parfums synthétiques.

   _____

B Réponds aux questions suivantes en phrases complètes.

1. Explique pourquoi il y a des gens qui ont la phobie du parfum.

   _____

2. De quel crime est-ce que Gary Falkenham était accusé?

   _____

3. À ton avis, est-ce que les produits nettoyants doivent aussi être interdits? Pourquoi?

   _____

4. Pourquoi est-ce que le phénomène qui a apparu en 1991 dans un centre médical d'Halifax reste encore un mystère?

   _____

5. Selon toi, les odeurs peuvent-elles influencer l'humeur de quelqu'un? Explique ta réponse et donne un exemple.

   _____

Révision
Les pronoms relatifs *qui* et *que*

Un pronom relatif combine deux idées pour faire une seule phrase. Lis les phrases suivantes tirées du texte *Les parfums*.

1. Les personnes **qui** sont «sensibles aux produits chimiques» ne supportent pas les odeurs.

2. Le lave-vaisselle de la cafétéria, **qui** laissait échapper des gaz, a été réparé.

3. C'est pendant les croisades **que** les musulmans ont enseigné aux Européens comment se parfumer.

4. On croyait à l'époque **que** les maladies se transmettaient par les odeurs.

Attention! : que + voyelle = qu'

A Complète les phrases par *qui*, *que* ou *qu'*.

> **Exemple :**   Quel magasin vend le parfum _____ Anne veut acheter?
>
> Quel magasin vend le parfum _qu'_ Anne veut acheter?

1. Il y a des gens _qui_ ne supportent pas les odeurs de produits chimiques.

2. Le désodorisant _que_ ce garçon portait était trop fort.

3. Il veut nous montrer un parfum _que_ les Romains mettaient dans l'huile des lampes.

4. J'ai un oncle _qui_ souffre de maux de tête.

5. Le problème c'est _que_ on trouve du parfum dans presque tous les cosmétiques.

B Combine les deux phrases en utilisant *qui*, *que* ou *qu'*.

> **Exemple :**   Regarde ce produit. Il n'a pas de parfum.
>
> Regarde ce produit _qui n'a pas de parfum._

1. Où est ce produit d'aromathérapie? Nous avons acheté ce produit.

   _____

2. Il y a une nouvelle loi. Cette loi interdit les pesticides dans cette ville.

   _____

3. C'est un produit d'aromathérapie. Les gens sensibles aux odeurs peuvent supporter ce produit.

   _____

4. Jean se lave avec un savon suisse. Ce savon contient des extraits de fleurs et de feuilles.

   _____

5. Bianca a recommandé ce shampooing. Je trouve ce shampooing formidable.

   _____

→ Références : Anthologie p. 110

As-tu observé?
Les pronoms relatifs *ce qui* et *ce que* I

A **Ce qui — Lis les phrases suivantes tirées du texte *Les parfums*. Regarde comment deux idées sont combinées pour faire une seule phrase.**

1. …une loi interdit le parfum dans cette ville, **ce qui** satisfait beaucoup de gens.

2. **Ce qui** a obligé la population à se laver, c'était la découverte des microbes au XVIIIᵉ siècle.

Hum... quelle est la règle?

a) Dans le premier exemple, **ce qui** se rapporte à une idée déjà présentée, alors **ce qui** se trouve _____ de la phrase.

b) Dans le deuxième exemple, **ce qui** annonce une idée, alors **ce qui** se trouve _____ de la phrase.

c) Dans les deux exemples, **ce qui** représente un sujet, alors **ce qui** est toujours suivi par _____.

B **Ce que — Lis les phrases suivantes tirées du texte. Regarde comment deux idées sont combinées pour faire une seule phrase.**

1. Ce genre de problème est exactement **ce que** cette nouvelle loi est censée prévenir.

2. **Ce qu'**on trouve également inexplicable, c'est que les personnes «allergiques aux parfums» sont rarement allergiques aux pesticides.

Hum... quelle est la règle?

a) Dans le premier exemple, **ce que** se rapporte à une idée déjà présentée, alors **ce que** se trouve _____ de la phrase.

b) Dans le deuxième exemple, **ce que** annonce une idée, alors **ce que** se trouve _____ de la phrase.

c) Dans les deux exemples, **ce que** remplace un objet, alors **ce que** est toujours suivi par _____.

→ **Grammaire : Anthologie p. 111**

As-tu observé?
Les pronoms relatifs *ce qui* et *ce que* II

Compare ces deux exemples.

Ce qui est un pronom relatif qui relie deux idées dans une phrase. **Ce qui** est toujours suivi d'un verbe.

Les pesticides ne sont pas interdits, **ce qui** *est* bizarre.

verbe

Ce que est un pronom relatif qui relie deux idées dans une phrase. **Ce que** est toujours suivi d'un nom ou d'un pronom sujet.

Les parfums sont **ce que** *nous* voulons éviter dans les endroits publiques.

pronom

sujet

→ **Grammaire : Anthologie p. 111**

Les pronoms relatifs
ce qui et *ce que*

Écrivons!

A **Combine les deux phrases en utilisant les pronoms relatifs *ce qui*, *ce que* ou *ce qu'*.**

> **Exemple :** Le parfum est très important en France. Ce n'est pas surprenant.
>
> Le parfum est très important en France, *ce qui n'est pas surprenant.*

1. En France, un homme sur deux portent du parfum. Je trouve cela extraordinaire.

    _____

2. La vraie capitale des parfums en France n'est pas Paris, mais Grasse. Cela est facile à comprendre parce qu'on y cultive beaucoup de fleurs.

    _____

3. Le parfum français le plus populaire est Chanel N° 5. Cela ne va probablement pas changer.

    _____

4. Chaque parfum a ses propres caractéristiques. C'est vraiment incroyable car il y en a plus de 6 000.

    _____

5. Le meilleur type de parfum serait hypoallergique. Ce n'est pas impossible.

    _____

B **Récris les phrases suivantes en commençant par *ce qui*, *ce que* ou *ce qu'*.**

> **Exemple :** Cette loi interdit de porter du parfum dans les endroits publics.
>
> *Ce que cette loi interdit, c'est* de porter du parfum dans les endroits publics.

1. On veut utiliser des cosmétiques à base d'ingrédients naturels.

    _____

2. Je veux savoir la bonne réponse.

    _____

3. C'est bizarre qu'il soit allergique au parfum naturel.

    _____

4. Suzanne a dit que ce shampooing est très bon.

    _____

5. Elle peut offrir un parfum naturel à un prix raisonnable.

    _____

As-tu observé?

Le pronom relatif *dont*

Lis les phrases suivantes tirées du texte *Les parfums*. Regarde comment deux idées sont combinées pour faire une seule phrase.

1. C'était une douche **dont** il avait besoin!

2. …c'est un problème **dont** personne n'a trouvé la cause.

Hum... quelle est la règle?

a) Dans le premier exemple **dont** représente *de* + l'objet de l'expression *avoir besoin de*.
   Alors, dans le premier exemple **dont** représente _____ + _____.

b) Dans le deuxième exemple **dont** représente *de* + l'objet de l'expression *trouver la cause de*.
   Alors, dans le deuxième exemple **dont** représente _____ + _____.

c) Dans les deux exemples, **dont** est suivi par _____.

Dont est un pronom relatif qui est relié au mot précédant par la préposition *de*.

Les allergies **dont** elle a peur sont causées par le parfum.

(avoir peur de)

➜ **Grammaire : Anthologie p. 112**

Sélection 3 : Les parfums   Copyright © Addison Wesley

Le pronom relatif *dont*

A **Combine les deux phrases en utilisant le pronom relatif *dont*.**

> Exemple :   Chanel N° 5 est un parfum. La France est fière de ce parfum.
> Chanel N° 5 est un parfum <u>dont la France est fière.</u>

1. Voici des extraits de fleurs, de racines et de bois. On a besoin de ces extraits pour faire le parfum.

   _____

2. Utilises-tu ce gel coiffant? Il a parlé de ce gel coiffant.

   _____

3. Connais-tu cette maladie environnementale? Elle souffre de cette maladie.

   _____

4. Elle a eu une forte réaction. Elle a peur de cette réaction.

   _____

5. Connaissez-vous cette fille? Je suis fière d'elle.

   _____

B **Complète les phrases par *ce qui*, *ce que*, *ce qu'* ou *dont*.**

1. À Halifax, les gens ne portent pas de parfum, _____ est rare au Canada.

2. Je déteste _____ on met dans les pesticides.

3. _____ mes amis aiment porter, c'est du gel coiffant.

4. Est-ce qu'ils sont bien les parfums synthétiques _____ elle parle?

5. Les fleurs _____ les parfums naturels sont tirés ne sont pas cultivées au Japon.

6. On croyait que les maladies se transmettaient par les odeurs, _____ est ridicule.

7. _____ est incroyable, c'est que les gens mettaient du parfum sur les chevaux!

8. La peste, _____ les Européens avaient beaucoup peur, a tué un tiers de la

   population française.

9. _____ étonne les médecins, c'est que l'aromathérapie est redevenue populaire.

10. Les produits naturels, c'est _____ tout le monde voudrait, mais ils coûtent cher.

On écoute

A Écoute l'article *Les parfums* encore une fois. Puis écoute les phrases suivantes et indique si elles sont *vraies* ou *fausses*. Coche la bonne case.

	vrai	faux			vrai	faux
1.	☐	☐		6.	☐	☐
2.	☐	☐		7.	☐	☐
3.	☐	☐		8.	☐	☐
4.	☐	☐		9.	☐	☐
5.	☐	☐		10.	☐	☐

B Écoute les phrases et indique si tu entends *ce qui*, *ce que* ou *dont*.

	1.	2.	3.	4.	5.
ce qui	☐	☐	☐	☐	☐
ce que	☐	☐	☐	☐	☐
dont	☐	☐	☐	☐	☐

C Écoute les commentaires sur le parfum. Quelles sont les personnes qui ne supportent pas le parfum? Coche la bonne case.

	1. Sylvie	2. Néo	3. Élise	4. Yves	5. Shalina
Il / Elle ne le supporte pas.	☐	☐	☐	☐	☐
Il / Elle le supporte.	☐	☐	☐	☐	☐

Mini-dialogues

A **Écoute la conversation entre deux passagers dans un autobus à Halifax. Écoute la conversation une deuxième fois et écris la bonne forme du pronom relatif, *ce qui*, *ce que* ou *dont*.**

Madame Elliott est assise dans l'autobus près de la vitre quand Monsieur LaCasse s'assied sur le siège à côté d'elle.

Mme Elliott : Excusez-moi, monsieur, mais _____ je dois faire immédiatement, c'est changer

de place. Pouvez-vous me laisser passer, s'il vous plaît?

M. Lacasse : Mais pourquoi, madame?

Mme Elliott : Parce que vous portez de l'eau de Cologne, monsieur, _____ me rend très

malade. Ne voyez-vous pas les panneaux partout – INTERDIT DE PORTER

DU PARFUM?

M. Lacasse : Oh! je m'excuse. Mais, je ne porte pas de parfum. _____ vous sentez, c'est

probablement mon shampooing.

Mme Elliott : Ah! je comprends monsieur. Ce n'est pas votre faute. Les parfums _____ j'ai le

plus peur sont ceux des shampooings. J'aurai bientôt des problèmes si je ne bouge pas.

M. Lacasse : _____ serait une bonne idée, c'est éliminer le parfum dans les shampooings.

Mme Elliott : Je suis d'accord. Maintenant, est-ce que je peux passer, s'il vous plaît? Il faut que je

trouve une autre place au fond de l'autobus. _____ je ne veux pas avoir, c'est une

crise d'asthme dans cet autobus. Au revoir, monsieur!

M. Lacasse : Au revoir, madame, et bonne chance!

B **Avec un ou une partenaire, écrivez un dialogue entre deux personnes à Halifax. Imaginez qu'une de ces deux personnes ne supporte pas le parfum. Utilisez la conversation de la Partie A comme modèle, mais changez de lieu. Répétez le dialogue et présentez-le à la classe.**

As-tu observé?

Le pronom d'objet *en*

Lis les phrases suivantes.

1. Le problème : on trouve **du parfum** dans presque tous les cosmétiques. Les gens **en** portent donc tous les jours.

2. … il a fallu créer **des produits synthétiques**. Aujourd'hui, on **en** compte plus de 6 000…

3. On **en** portait sur tout le corps et on **en** buvait même!

4. Les gens **en** portent donc tous les jours.

5. Les gens vont **en** porter tous les jours.

Hum... quelle est la règle?

a) **En** est un pronom d'objet qui représente *de* (*du*, *de la*, *de l'* et *des*) + le nom d'une chose. Dans le premier exemple, **en** représente *de* + l'objet du verbe *porter*. Alors, dans le premier exemple **en** représente _____ + _____.

b) Dans le deuxième exemple, **en** représente *de* + l'objet du verbe *compter*. Alors, dans le deuxième exemple **en** représente _____ + _____.

c) Dans le troisième exemple, **en** représente *de* + l'objet des verbes *porter* et *boire*. Alors, dans le troisième exemple **en** représente _____ + _____.

d) Au présent on place le pronom **en** _____ le verbe.

e) Au passé composé on place le pronom **en** _____ l'auxiliaire.

f) Au futur proche ou quand il y a un verbe à l'infinitif dans la phrase, on place le pronom **en** devant _____.

Le pronom **en** remplace un nom et signifie 'de cela' ou 'une quantité de'.

Les gens allergiques au parfum ont besoin de médicaments quand ils ont une réaction.

Les gens allergiques au parfum **en** ont besoin quand ils ont une réaction.

J'ai eu des plaintes à cause de l'air contaminé dans la bibliothèque.

J'**en** ai eu à cause de l'air contaminé dans la bibliothèque.

Je ne vais pas parler de la controverse au directeur.

Je ne vais pas **en** parler au directeur.

→ **Grammaire : Anthologie p. 114**

Sélection 3 : Les parfums Copyright © Addison Wesley

Le pronom d'objet *en* I

Récris les phrases suivantes et remplace les mots en caractères gras par le pronom *en*. Attention à la position du pronom!

Exemple :   Je mets **du parfum** sur mes bras.
J'*en* mets sur mes bras.

1. Il y a beaucoup **de phénomènes étranges** à Halifax.

    _____

2. Nous n'allons pas mettre **de parfum artificiel**, même s'il est moins cher.

    _____

3. Dans cette ville, on voit **des panneaux intéressants** partout.

    _____

4. Est-ce que les étudiants vont trouver **du gel coiffant** sans parfum?

    _____

5. Elle a eu **des symptômes graves** car elle est allergique aux produits chimiques.

    _____

6. Je n'ai pas acheté **de pesticides** pour mon jardin cette année.

    _____

7. Il y a moins de 150 **parfums naturels** dans le monde.

    _____

8. Les peuples des civilisations anciennes comme les Romains et les Grecs mettaient **du parfum**

    presque partout. _____

    _____

9. Ils n'auront pas besoin **de musc** pour fabriquer ce nouveau produit.

    _____

10. Les parfums naturels sont tirés **de fleurs fraîches**.

    _____

Le pronom d'objet *en* II

A **Réponds aux questions suivantes au *négatif*.**

> Exemple : Veut-il acheter **du savon** à l'extrait de fleur?
> <u>Non, il ne veut pas en acheter.</u>

1. As-tu acheté **du parfum cher** l'année dernière?

_____

2. Est-ce que tes amis vont mettre **du désodorisant Aqua Velva**?

_____

3. Est-ce que tu as déjà eu **des problèmes respiratoires** à cause du parfum?

_____

4. Est-ce que ton professeur alertera la police si les élèves portent **des produits parfumés**?

_____

5. Est-ce qu'il y a beaucoup **de produits nettoyants nuisibles** chez toi?

_____

B **Voici les réponses. Écris des questions en remplaçant le pronom *en* comme dans l'exemple. Attention aux autres mots de la phrase qui peuvent changer!**

> Exemple : Oui, j'**en** ai parlé à mes amis.
> <u>As-tu parlé de la danse à tes amis?</u>

1. Oui, j'**en** ai vu.

_____

2. C'est le directeur qui **en** apportera à l'école.

_____

3. Non, ma sœur n'**en** met pas d'habitude.

_____

4. Elle va **en** manger pendant la pause.

_____

5. J'**en** ai seulement deux.

_____

Révision
Les prépositions et les noms géographiques

Lis les phrases suivantes tirées du texte *Les parfums*.

1. **À Halifax, en Nouvelle-Écosse**, il se passe quelque chose d'étrange.

2. Le parfum a connu sa période de gloire **en Égypte** et **en Grèce**.

3. **Au Moyen-Orient**, autrefois, on parfumait tout d'eau de rose…

Complète les phrases par la bonne préposition.

> **Exemple :** Je suis allée _____ Suède et je suis restée ___ Stockholm.
> Je suis allée __*en*__ Suède et je suis restée __*à*__ Stockholm.

1. _____ Toronto, _____ Ontario, il y a beaucoup d'excellents théâtres.

2. Nous allons déménager _____ Colombie-Britannique l'année prochaine.

3. J'ai beaucoup aimé mon voyage_____ Finlande et _____ Danemark.

4. J'ai des amis qui habitent _____ l'île du Prince-Édouard.

5. _____ Japon et _____ États-Unis, on fabrique beaucoup d'automobiles.

6. Je n'ai jamais voyagé _____ Amérique centrale.

7. _____ Rome, _____ Italie, on peut voir plusieurs ruines romaines.

8. Es-tu déjà allé _____ îles de la Madeleine?

9. Qui a habité _____ Saskatchewan?

10. J'aimerais voyager _____ Asie, surtout _____ Chine.

→ **Références : Cahier p. 30 et Anthologie p. 116**

Sélection 4 :
Les soins des animaux sauvages
Vocabulaire

Écris dans la grille le nom français qui correspond aux animaux.

Des mots

A **Trouve dans le texte l'antonyme des mots suivants.**

1. dernier ≠ _____

2. perdre ≠ _____

3. gros ≠ _____

4. offensif ≠ _____

5. impatient ≠ _____

B **Trouve le synonyme des mots suivants.**

1. s'occuper de = _____

2. une espèce = _____

3. assez = _____

4. terrifier = _____

5. un lieu = _____

C **Trouve un mot de la même famille que les mots suivants.**

1. un accueil _____

2. le soin _____

3. le silence _____

4. blesser _____

5. la guérison _____

D **Trouve la définition des mots de la colonne A dans la colonne B.**

Colonne A

Colonne B

☐ 1. se cogner **a)** se frapper sur

☐ 2. un bénévole **b)** avoir peur

☐ 3. urbain **c)** personne qui travaille sans paie et sans obligation

☐ 4. une amitié **d)** qui est de première importance

☐ 5. être effrayé(e) **e)** qui peut se transmettre

☐ 6. relâcher **f)** aider à grandir

☐ 7. contagieux **g)** gentil ou joli

☐ 8. élever **h)** sentiment réciproque d'affection

☐ 9. primordial **i)** qui habite en ville

☐ 10. mignon **j)** remettre en liberté

Compréhension

A **Relis la sélection 4. Vrai ou faux? Corrige les phrases fausses. Écris des phrases complètes.**

1. Le *Toronto Wildlife Centre* a été fondé par Madhu.   v   f

    _____

2. Les employés et les bénévoles du Centre aident Nathalie à

    soigner plus de 300 variétés d'animaux.   v   f

    _____

3. Nathalie est passionnée par la flore urbaine.   v   f

    _____

4. Les corneilles dans les aéroports dérangent le va-et-vient des avions.   v   f

    _____

5. Nathalie a trouvé une solution à ce problème : choisir un gazon

    qui n'attire pas ces oiseaux.   v   f

    _____

B **Réponds aux questions suivantes en phrases complètes.**

1. Que doit-on faire si un oiseau se cogne à une fenêtre?

    _____

2. Pourquoi ne doit-on pas donner à manger à un animal sauvage?

    _____

3. Pourquoi élève-t-on les petits animaux abandonnés avec d'autres petits de la même espèce?

    _____

4. Avoir une amitié avec un animal sauvage est une mauvaise idée. Explique.

    _____

5. Selon toi, est-il possible pour les êtres humains et les animaux de cohabiter dans une ville?

    _____

Révision
L'impératif

Pour faire une suggestion ou donner un ordre, on utilise l'impératif. Lis les phrases suivantes.

1. **Mets** l'oiseau dans une boîte.

2. **Examinons** l'animal avant de décider.

3. **Contactez** le Ministère des ressources naturelles.

4. **Remplissez** un formulaire et **répondez** honnêtement...

Les verbes *être* et *avoir* sont irréguliers à l'*impératif* !

être

Sois calme! / Ne **sois** pas calme!

Soyez calme! / Ne **soyez** pas calme!

Soyons calmes! / Ne **soyons** pas calmes!

avoir

Aie peur! / N'**aie** pas peur!

Ayez peur! / N'**ayez** pas peur!

Ayons peur! / N'**ayons** pas peur!

A **J'ai trouvé un oiseau blessé dans mon jardin. Donne-moi des suggestions.**

Exemple :   prendre / l'oiseau avec une serviette
Prends l'oiseau avec une serviette.

1. appeler / la Société protectrice des animaux *Appel* _____.

2. donner / de l'eau à l'animal _____.

3. déposer / une boîte sur lui pour le protéger _____.

4. mettre / l'oiseau dans un endroit tranquille _____.

5. être / calme quand tu t'approches de la boîte _____.

B **Nous avons trouvé un raton laveur blessé dans le jardin. Donne-nous des suggestions.**

Exemple :   jouer avec / l'animal
Ne jouez pas avec l'animal.

1. soigner / l'animal sans demander conseil au Centre _____.

2. nourrir / l'animal _____.

3. soigner / les blessures _____.

4. toucher / à l'animal _____.

5. avoir / peur si l'animal ne mange pas _____.

➜ **Références : Anthologie p. 108**

As-tu observé?

L'impératif et les pronoms

Lis les phrases suivantes tirées du texte *Les soins des animaux sauvages*.

Attention à la place des pronoms dans ces phrases à l'impératif! Vont-ils avant ou après le verbe?

1. ... prenez-**le** très doucement... ⟶ ... ne **le** prenez pas très doucement...

2. Placez-**la** dans un endroit sombre... ⟶ Ne **la** placez pas dans un endroit sombre...

3. ... donnez-**lui** de l'eau. ⟶ ... ne **lui** donnez pas d'eau.

Hum... quelle est la règle?

a) À l'affirmatif, on place le pronom _____ le verbe.

b) À l'affirmatif, entre le verbe et le pronom, on met _____.

c) Au négatif, on place le pronom _____ le verbe.

Lis les phrases suivantes.

1. **Assure-toi** que le bol est bien stable.

2. **Assurez-vous** que le bol est bien stable.

3. **Assurons-nous** que le bol est bien stable.

Hum... quelle est la règle?

a) À l'impératif affirmatif d'un verbe pronominal, te devient _____. Alors, me devient _____.

b) À l'impératif affirmatif d'un verbe pronominal, on place le pronom _____ le verbe.

c) Entre le verbe et le pronom, on met _____.

Lis les phrases suivantes. Attention à l'usage de *y* et *en* à l'*impératif*!

1. Va **chez le vétérinaire** pour obtenir les médicaments.

2. Vas-*y* pour obtenir les médicaments.

3. Parle **de ce problème** au centre de réadaptation.

4. Parles-*en* au centre de réadaptation.

Hum... quelle est la règle?

Pour faciliter la prononciation des phrases à l'impératif avec les pronoms *y* et *en*, quand c'est nécessaire, on ajoute la lettre ____ au verbe à la deuxième personne du singulier.

➜ **Grammaire : Anthologie p. 108**

L'impératif et les pronoms I

A Remplace les mots en caractères gras par un pronom d'objet direct. Attention à la position du pronom!

      Exemple : Relâchez **les animaux** dans la nature.
                <u>Relâchez-les</u> dans la nature.

1. Nourrissez **les oiseaux**. _____.

2. Ne soignons pas **l'animal**. _____.

3. Mets **la mouffette** dans un endroit tranquille et sombre. _____.

4. Ne prenez pas **l'animal**. _____.

5. Dépose **les bébés** dans une boîte. _____.

B Remplace les mots en caractères gras par un pronom d'objet indirect. Attention à la position du pronom!

      Exemple : Parle **aux bénévoles** avant de commencer.
                <u>Parle-leur</u> avant de commencer.

1. Donnez de l'eau **aux ratons laveurs**. _____.

2. Donnez à boire **aux oiseaux**. _____.

3. Parlons **au vétérinaire** immédiatement. _____.

4. Ne téléphone pas **aux pompiers**. _____.

5. Ne demande pas **au bénévole** si tu peux jouer avec le raton laveur.

     _____.

C Remplace les mots en caractères gras par les pronoms d'objet *y* ou *en*. Attention à la position du pronom!

      Exemple : Allez **dans la forêt**.
                Allez-<u>y</u>.

1. Ne pensez pas **à la rage**. _____.

2. Ne va pas **dans la chambre**. _____.

3. Ne mettons pas **d'animaux** ici. _____.

4. Va **au centre de réadaptation**. _____.

5. Mets **de la nourriture** dans les cages. _____.

L'impératif
et les pronoms II

A **Réponds aux questions suivantes selon l'exemple. Remplace les mots en caractères gras par les pronoms d'objet direct, indirect, *y* ou *en*.**

> **Exemple :** Dois-je donner à manger **aux écureuils**?
> <u>*Oui, donne-leur à manger.*</u>

1. Dois-je donner des graines **aux oiseaux**? _____.

2. Dois-je prendre **cette corneille**? _____.

3. Dois-je laver **ces canards**? _____.

4. Dois-je aller **au centre de réadaptation**? _____.

5. Dois-je mettre **de la nourriture** dans les cages? _____.

B **Change les phrases suivantes. Si la phrase est à l'affirmatif, mets-la au négatif. Si elle est au négatif, écris-la à l'affirmatif.**

> **Exemple :** Ne les nourrissez pas!
> <u>*Nourrissez-les.*</u>

1. Donne-lui à manger! _____!

2. Soignons-la au centre! _____!

3. Mettons-les dans une boîte! _____!

4. Ne leur parlons pas de l'accident! _____!

5. N'y va pas! * _____!

Révision
L'ordre des pronoms

Lis les phrases suivantes tirées du texte *Les soins des animaux sauvages*.

1. Vous pouvez **lui en** donner dans un bol…

2. Il peut **s'y** réfugier pendant ses premières semaines de liberté.

A **Remplace les mots en caractère gras par le bon pronom. Attention à la position du pronom! Fais l'accord si c'est nécessaire.**

> **Exemple :** Il préfère mettre **les couleuvres dans un terrarium**.
> Il préfère _les y mettre._

1. Il vaut mieux relâcher **les animaux dans la nature**. _____

_____

2. J'ai donné **de la nourriture aux canards**. _____

3. Je n'ai pas mis **les écureuils dans cette cage**. _____

4. Ils m'envoient **les médicaments** pour traiter la maladie. _____

_____

5. Vous avez demandé **de l'aide aux spécialistes**. _____

6. Il préfère se réfugier **dans sa tanière**. _____

7. Nous transmettons **cette maladie aux animaux** sans le savoir. _____

_____

8. Il ne faut pas transporter **les bébés écureuils dans une boîte**. _____

_____

9. Il s'habitue vite **au bruit du Centre**. _____

10. Il vaut mieux ne pas donner **cette nourriture aux animaux**. _____

_____

➜ Références : Cahier p. 35 et Anthologie p. 108

On écoute

A Écoute l'article *Les soins des animaux sauvages*. Puis écoute chaque question et encercle la lettre qui correspond à la meilleure réponse.

1. a)   b)   c)

2. a)   b)   c)

3. a)   b)   c)

4. a)   b)   c)

5. a)   b)   c)

B Écoute les questions et les réponses suivantes. Indique les deux pronoms que tu entends dans chaque réponse.

	le	la	les	l'	lui	leur	y	en
1.	☐	☐	☐	☐	☐	☐	☐	☐
2.	☐	☐	☐	☐	☐	☐	☐	☐
3.	☐	☐	☐	☐	☐	☐	☐	☐
4.	☐	☐	☐	☐	☐	☐	☐	☐
5.	☐	☐	☐	☐	☐	☐	☐	☐
6.	☐	☐	☐	☐	☐	☐	☐	☐
7.	☐	☐	☐	☐	☐	☐	☐	☐
8.	☐	☐	☐	☐	☐	☐	☐	☐
9.	☐	☐	☐	☐	☐	☐	☐	☐
10.	☐	☐	☐	☐	☐	☐	☐	☐

C Cinq élèves parlent des animaux blessés qu'ils ont trouvés. Écoute leurs commentaires. Indique si chaque élève doit amener l'animal au centre de réadaptation. Coche la bonne case.

	1. Nimmi	2. Frances	3. Jean-Philippe	4. Hélène	5. Mario
Il / Elle doit l'y amener.	☐	☐	☐	☐	☐
Il / Elle ne doit pas l'y amener.	☐	☐	☐	☐	☐

Mini-dialogues

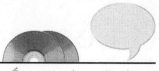

A **Écoute l'entrevue entre Nathalie, la directrice du centre de réadaptation, et Mei Lin, une élève qui veut devenir bénévole. Écoute l'entrevue une deuxième fois et écris les pronoms que tu entends.**

Nathalie : Bonjour, et merci de t'intéresser au centre de réadaptation. As-tu vu les animaux qui sont dans notre centre?

Mei Lin : Oui, je _____ _____ ai vus avant notre entrevue. Il _____ _____ a beaucoup!

Nathalie : C'est vrai. Ils nous sont tous très chers. Maintenant, je vais te poser quelques questions pour vérifier tes connaissances. Imagine que je te donne une couleuvre blessée et je te dis de _____ mettre dans un terrarium. Tu vois un terrarium, mais il y a d'autres couleuvres dedans. Qu'est-ce que tu fais?

Mei Lin : Je ne _____ _____ mets pas, car elle est blessée. Les autres couleuvres vont _____ attaquer.

Nathalie : Bonne réponse! Deuxième question. Tu remarques que les ratons laveurs sont agités parce qu'ils ont faim. Tu vois de la nourriture à côté des cages. Que fais-tu?

Mei Lin : Je ne _____ _____ donne pas. Il faut demander l'avis d'un ou une spécialiste avant de donner à manger aux animaux.

Nathalie : Bravo!

B **Avec un ou une partenaire, récrivez le dialogue. Modifiez les deux questions que Nathalie pose à Mei Lin. Attention aux pronoms! Répétez le dialogue et présentez-le à la classe.**

As-tu observé?

L'accord du participe passé

Lis les phrases suivantes tirées du texte *Les soins des animaux sauvages.*

1. … nous l'avons traité**e** tout l'hiver…
2. Ils ont fait des recherches sur ce type de couleuvre, puis l'ont installé**e** dans un terrarium…
3. Ils… l'ont amené**e** dans la forêt…

Hum… quelle est la règle?

a) Le temps des verbes dans les exemples est _____ avec l'auxiliaire avoir.

b) Le nom féminin **couleuvre** est remplacé par le pronom d'objet direct _____.

c) Le pronom d'objet direct se trouve _____ l'auxiliaire.

d) À la fin du participe passé dans les exemples, il y a un ___ parce que **l'** remplace un nom féminin.

e) Quand les pronoms d'objet direct se trouvent _____ l'auxiliaire on fait l'accord avec le participe _____.

Attention au participe passé dans les phrases suivantes!

1. Les blessures **qu'**ils n'ont pas soigné**es** étaient toujours infectées.

2. … une couleuvre blessée **qu'**ils avaient trouvé**e**….

3. Il peut être soigné par un vétérinaire ou l'un des employés **que** nous avons formé**s**.

Hum… quelle est la règle?

a) Le temps des verbes dans les exemples est _____ avec l'auxiliaire avoir.

b) Dans les exemples, **que** se réfère à trois objets directs différents. Ce sont **les blessures**, _____ et _____.

c) Quand les objets directs sont _____ l'auxiliaire, on accorde le participe _____ avec l'objet direct.

Attention au participe passé dans les phrases suivantes!

Quels conseils avez-vous donné**s** aux jeunes?

Hum… quelle est la règle?

a) Le temps du verbe dans cet exemple est _____ avec l'auxiliaire avoir.

b) L'objet direct dans cet exemple est _____.

c) Quand l'objet direct est _____ l'auxiliaire, on accorde le participe _____ avec l'objet direct en genre et en nombre.

→ **Grammaire : Anthologie p. 118**

L'accord du participe passé I

A **Remplace les mots en caractères gras par le bon pronom. Fais accorder le participe passé si c'est nécessaire.**

> Exemple : Les enfants ont emmené **la corneille blessée** au Centre.
> Les enfants <u>l'ont emmenée</u> au Centre.

1. On a invité **Nathalie Karvonen** à parler à notre conférence.

   _____

2. Les participants ont reconnu **Nathalie** comme spécialiste de la faune urbaine.

   _____

3. Ils ont écouté attentivement **son discours sur les animaux en détresse**.

   _____

4. Elle a beaucoup inspiré **les participants** avec son discours sur les animaux en détresse.

   _____

5. Nous avons pris **ses suggestions** au sérieux.

   _____

B **Écris les phrases suivantes au passé. Attention à l'accord!**

> Exemple : Les animaux qu'ils trouvent sont effrayés.
> Les animaux qu'ils <u>ont trouvés étaient</u> effrayés.

1. La mouffette que je trouve est malade.

   _____

2. Les animaux qu'on y traite ne sont pas toujours sauvages.

   _____

3. Les tâches que je fais sont assez simples.

   _____

4. La cage que je prends est trop grande.

   _____

5. Les bénévoles que nous choisissons sont jeunes.

   _____

L'accord du participe passé II

A **Crée une question d'après l'exemple. Fais l'accord si nécessaire.**

> **Exemple :** J'ai vu des serpents.
> *Quels serpents as-tu vus?*

1. J'ai nourri des animaux. _____ ?

2. Nous avons soigné des oiseaux. _____ ?

3. J'ai fait des suggestions. _____ ?

4. J'ai traité des maladies. _____ ?

5. Nous avons relâché une couleuvre. _____ ?

B **Récris le paragraphe suivant. Remplace *un pivert* par *une mouffette*. Fais tous les changements nécessaires.**

Récemment, j'ai eu la chance de travailler dans un centre de réadaptation. J'ai vu pour la première fois un petit pivert. Il était gros et brun. Au début, je l'ai trouvé laid, mais avec le temps je m'y suis habituée.

Pendant quatre semaines, je l'ai nourri et je lui ai donné à boire. Je l'ai aussi soigné, parce qu'il avait des blessures infectées.

Avant la fin de l'été, je l'ai relâché dans la forêt. La dernière fois que je l'ai vu, il venait de se trouver une nouvelle tanière. Il avait l'air très heureux.

_____

_____

_____

_____

_____

_____

_____

_____

_____

_____

> **Question :** Est-ce que le narrateur de cette anecdote est un homme ou une femme?
>
> Comment le sais-tu? _____

As-tu observé?
Les expressions impersonnelles

Lis les phrases suivantes tirées du texte *Les soins des animaux sauvages*.

1.   **Il est préférable de déposer** sur eux une boîte de recyclage...

2.   **Il faut vous assurer** que l'animal est soigné par un(e) spécialiste...

3.   **Il suffit de déposer** l'oiseau dans une boîte…

4.   … **il vaut mieux ne pas avoir** une amitié avec un animal sauvage.

Hum... quelle est la règle?

a)   Dans les expressions impersonnelles, le pronom sujet est toujours _____.

b)   Quand il y a un infinitif au négatif après une expression impersonnelle, on met *ne… pas* _____ le verbe.

Autres exemples d'expressions impersonnelles :

il est bon de...

il est important de...

il est mieux de...

il est nécessaire de...

il est préférable de...

il faut...

il suffit de...

il vaut mieux...

→ **Grammaire : Anthologie p. 123**

Les expressions impersonnelles

A **Change les phrases suivantes d'après l'exemple.**

> Exemple : Nous relâchons les animaux dans la nature. (il est bon de)
> <u>Il est bon de relâcher</u> les animaux dans la nature.
> Vous ne donnez pas à manger aux animaux. (il vaut mieux)
> <u>Il vaut mieux ne pas donner</u> à manger aux animaux.

1. Ils parlent à un spécialiste de la faune urbaine. (il suffit de)

   _____.

2. Nous ne nourrissons pas les canards. (il est préférable de)

   _____.

3. Je m'assure que l'animal est soigné par un vétérinaire. (il faut)

   _____.

4. Vous laissez les tâches difficiles aux spécialistes. (il est important de)

   _____.

5. Ils ne touchent pas aux animaux sauvages. (il vaut mieux)

   _____.

B **Complète les conseils suivants en utilisant la bonne forme du verbe.**

> Exemple : Quand tu trouves un animal blessé, il est préférable de…
> Quand tu trouves un animal blessé, il est préférable de
> <u>transporter toi-même l'animal au Centre.</u>

1. Quand tu trouves un animal malade dans ton jardin, il est important de…

   _____.

2. Si l'animal est blessé, il vaut mieux ne pas…

   _____.

3. Si les blessures sont graves, il est préférable de ne pas…

   _____.

4. Avant de prendre l'animal, il faut…

   _____.

5. Tu ne dois pas donner à manger à l'animal, mais il est possible de…

   _____.

Sélection 5 : L'histoire des calendriers
Vocabulaire

A Donne la forme masculine des adjectifs qui correspondent aux noms suivants.

Exemple : La France : _français_

1. Rome : _____

2. (le pape) Grégoire : _____

3. Chine : _____

4. Jules (César) : _____

5. Hébreux : _____

B Quel mot complète les phrases suivantes? Trouve tes réponses dans le texte *L'histoire des calendriers.*

1. Le contraire de *majuscule* est _____.

2. Le corps céleste qui tourne autour de la Terre est _____.

3. Un synonyme pour *la récolte du raisin* : _____.

4. Un _____ observe les corps célestes et la structure de l'univers. Un

   _____ croit que les corps célestes ont une influence sur notre vie quotidienne.

5. Une année a normalement 364 jours, mais l'année _____ en a 365.

6. Un appareil qui indique l'heure à l'aide du soleil est _____.

7. Un synonyme pour *établir* (une ville ou un empire) : _____.

8. Un _____ a 100 ans. Un _____ a 1 000 ans.

C Quel animal...?

1. nous donne du lait? _____

2. nous donne des œufs? _____

3. aime les bananes? _____

4. a des cornes? _____

5. crache du feu? _____

Compréhension

A **Relis la sélection 5. De quel calendrier parle-t-on?**

1. Le calendrier _____ était divisé en 10 mois et comptait 304 jours.

2. Le calendrier _____ est toujours utilisé par les Israélites.

3. Le calendrier _____ était nécessaire pour planifier les travaux des champs. Il comptait 365 jours et six heures.

4. Le calendrier _____ était en usage au Mexique à partir du 7e siècle.

5. Le calendrier _____ était le plus précis de tous les calendriers. Il suit presque fidèlement l'année solaire, qui dure 365 jours, 5 heures, 48 minutes et 46 secondes.

B **Réponds aux questions suivantes en phrases complètes.**

1. Qu'est-ce que c'est qu'une année bissextile? Quand aurons-nous notre prochaine année bissextile?

    _____

    _____

2. Explique pourquoi le mois de septembre n'est plus le septième mois.

    _____

3. Quelle a été la contribution du peuple chaldéen à l'élaboration du calendrier?

    _____

    _____

4. Pourquoi les Chaldéens ont-ils nommé les jours de la semaine d'après les corps célestes?

    _____

5. Sur quoi le calendrier populaire chinois était-il basé? Sous quel signe du zodiaque chinois es-tu né(e)?

    _____

    _____

Révision
L'imparfait et le passé composé

Lis les phrases suivantes tirées du texte *L'histoire des calendriers*.

1. On y **ajoutait** plusieurs jours tous les ans. Plus tard, ces jours supplémentaires **sont devenus** les mois de janvier et février...

2. Cet astronome... **a déclaré** que l'année **comptait** 365 jours et six heures.

3. ... les autres mois **ont gardé** leurs noms, même si leur position n'**était** plus la même.

A Mets les verbes en caractères gras à l'*imparfait*. Récris les phrases.

      Exemple :   Même l'homme des cavernes **compte** les jours.

                  Même l'homme des cavernes <u>comptait</u> les jours.

1. Ces calendriers **rappellent** les jours de la semaine, la date et les fêtes à venir.

      _____

2. Le calendrier **suit** le cycle naturel des saisons.

      _____

3. L'écart **grandit** chaque année.

      _____

4. On **ajoute** des jours pour ratrapper le temps perdu.

      _____

5. Un astrologue chaldéen qui **vit** en Mésopotamie a remarqué l'ordre constant des planètes.

      _____

B Mets les verbes en caractères gras au *passé composé*.

      Exemple :   On **modifie** le calendrier pour mieux planifier les travaux des champs.

                  On <u>a modifié</u> le calendrier pour mieux planifier les travaux des champs.

1. Ils **habitent** en Mésopotamie.

      _____

2. Le mois d'octobre **devient** le dixième mois de l'année.

      _____

3. Le peuple chaldéen **met** au point des calculs très précis.

      _____

4. Quelle **est** la contribution des Chinois à l'élaboration du calendrier?

      _____

5. Cette année, ils **s'aperçoivent** de l'inexactitude du calendrier actuel.

      _____

➜ Références : Cahier p. 15 et Anthologie p. 128

L'imparfait et le passé composé

Écrivons!

A **Récris le paragraphe suivant au *passé*. Utilise l'*imparfait* ou le *passé composé* selon le cas.**

Le calendrier romain compte 304 jours et est divisé en 10 mois. Puisqu'il est nécessaire d'ajouter des jours supplémentaires tous les ans, on crée les mois de janvier et février.

Sept siècles plus tard pendant le règne de Jules César, on modifie encore le calendrier. Un astronome déclare à César que l'année compte 365 jours et six heures. César n'a aucune raison de douter des calculs de cet excellent mathématicien, alors il modifie le calendrier pour créer le calendrier julien.

Évidemment, les Romains ont une influence importante sur l'élaboration de notre calendrier.

_____

_____

_____

_____

_____

_____

_____

_____

_____

_____

B **Explique le choix du *passé composé* ou de l'*imparfait* en caractères gras. Mets la bonne lettre dans chaque case. Indique l'une des raisons suivantes :**

L'imparfait

a) une description

b) une action continue

c) une action interrompue

Le passé composé

d) une action terminée

e) une action qui commence après

une autre

1. ☐ C'est cette année-là que Jules César **a décidé** de prendre le taureau par les cornes.

2. ☐ L'astronome grec **était** en train de calculer quand l'empereur l'a appelé.

3. ☐ Chaque année **avait** le nom d'un animal.

4. ☐ On y **ajoutait** plusieurs jours tous les ans.

5. ☐ Les Romains croyaient que l'année durait 360 jours lorsqu'un mathématicien **a prouvé** que ces calculs étaient faux.

On écoute

A Écoute l'article *L'histoire des calendriers*. Puis écoute les descriptions des calendriers. De quel calendrier parle-t-on? Coche la bonne case.

	1.	2.	3.	4.	5.
le calendrier hébreu	☐	☐	☐	☐	☐
le calendrier hindou	☐	☐	☐	☐	☐
le calendrier républicain	☐	☐	☐	☐	☐
le calendrier chaldéen	☐	☐	☐	☐	☐
le calendrier chinois	☐	☐	☐	☐	☐

B Écoute les phrases et encercle le verbe que tu entends.

L'imparfait	Le passé composé
1. comptait	a compté
2. était	a été
3. modifiait	a modifié
4. ajoutait	a ajouté
5. divisait	a divisé

C Écoute les phrases. Est-ce qu'on parle d'*un fait* ou d'*une opinion*? Coche la bonne case.

	1.	2.	3.	4.	5.
un fait	☐	☐	☐	☐	☐
une opinion	☐	☐	☐	☐	☐

Mini-dialogues

A **Pascal a organisé une fête. Il discute avec Annick. Écoute leur conversation. Écoute une deuxième fois et écris la bonne forme du verbe au *passé composé* ou à l'*imparfait*.**

Pascal :   J'aime organiser des fêtes!

Annick :   C'est évident! Tu en organises souvent! J'ai envie d'organiser une fête moi aussi.

C'est quand ton anniversaire, Pascal?

Pascal :   C'est le jour du pamplemousse.

Annick :   Euh… Je ne comprends pas.

Pascal :   Après la révolution française, on _____ un calendrier dont chaque

jour _____ le nom d'un animal, d'un fruit, d'un légume ou d'une fleur.

Mon anniversaire tombe le jour d'un fruit.

Annick :   Je vois… Alors, en quelle année es-tu né?

Pascal :   En l'An du chien.

Annick :   Les Français _____ un nom à chaque année aussi?

Pascal :   Non, l'An du chien vient du calendrier chinois. Les Chinois _____

un calendrier qui _____ sur les signes du zodiaque.

Annick :   Intéressant… peut-être que je vais aller sur Internet pour en savoir plus…

B **Annick et Pascal discutent des noms qu'ils ont inventés pour les jours de la semaine quand ils étaient petits. Avec un ou une partenaire, complétez le dialogue suivant avec vos propres inventions. Répétez le dialogue, puis présentez-le à la classe.**

Pascal :   Quand j'étais petit, j'inventais des noms pour les jours de la semaine. Par exemple,

j'appelais samedi, le jour des bandes dessinées.

Annick :   Moi aussi, j'inventais des noms. Pour vendredi, je disais, le dernier jour et au lieu

de mercredi je disais…

Révision
Le passé composé des verbes pronominaux

Écrivons!

Lis les phrases suivantes tirées du texte *L'histoire des calendriers*.

1. C'est cette année-là que Jules César et un astronome grec **se sont parlé**.

2. Les maîtres de l'astrologie chaldéenne… **se sont aperçus** que le soleil, la lune et les cinq planètes… revenaient dans le ciel dans un ordre constant.

Mets les phrases suivantes au *passé composé*.

> Exemple : Les Romains _____ (ne pas se servir) de notre calendrier actuel.
> Les Romains _ne se sont pas servis_ de notre calendrier actuel.

1. Le pape Grégoire XIII et ses experts _____ (se rendre) compte qu'une année de 365 jours avait 11 minutes de trop.

2. Qu'est-ce qui _____ (se passer) pour qu'on modifie le calendrier romain?

3. Je _____ (ne pas s'apercevoir) de mon erreur.

4. Cette année, un groupe d'experts _____ (se réunir) pour discuter de leurs découvertes.

5. Les sages _____ (s'organiser) pour mesurer les mouvements des corps célestes.

6. Ils _____ (se présenter) à l'empereur avec de nouveaux calculs.

7. L'empereur _____ (s'imposer) comme tâche de créer un nouveau calendrier.

8. Les astronomes _____ (se disputer) à propos de la durée exacte de l'année.

9. Le calendrier toltèque _____ (s'utiliser) pour la première fois au Mexique.

10. Même avec un calendrier, tu _____ (ne pas se rappeler) l'anniversaire de ta mère?

11. Les deux cultures _____ (s'influencer) pour élaborer leurs calendriers.

12. Cette tribu _____ (s'installer) en Mésopotamie.

13. Les Chinois _____ (se consacrer) à l'étude de l'univers.

14. L'usage du calendrier grégorien _____ (s'établir) dans tous les pays européens.

15. Le premier jour de l'année _____ (se fixer) en janvier.

→ **Références : Cahier p. 47 et Anthologie p. 120**

Révision
Les prépositions et les noms géographiques

Écrivons!

A **Réponds aux questions suivantes en phrases complètes. Utilise un atlas.**

    Exemple : J'habite la capitale des États-Unis. Où est-ce que j'habite?

        <u>Tu habites à Washington.</u>

1. J'habite la capitale de la Grèce. Où est-ce que j'habite?

    _____

2. Tu habites la capitale du Pérou. Où est-ce que tu habites?

    _____

3. Ma cousine habite la capitale d'Israël. Où habite-t-elle?

    _____

4. Les Romains habitent la capitale de l'Italie. Où habitent-ils?

    _____

5. Juan habite la capitale du Chili. Où habite-t-il?

    _____

B **Quel pays? Réponds aux questions suivantes en phrases complètes. Attention au choix de la préposition!**

    Exemple : Où se trouve le Caire?

        <u>Le Caire se trouve en Égypte.</u>

1. Où se trouve Londres? _____

2. Où se trouve Moscou? _____

3. Où se trouve La Havane? _____

4. Où se trouve Paris? _____

5. Où se trouve Ottawa? _____

6. Où se trouve Madrid? _____

7. Où se trouve Beijing? _____

8. Où se trouve Tokyo? _____

9. Où se trouve Cancun? _____

10. Où se trouve Téhéran? _____

> **→ Références : Cahier p. 30 et Anthologie p. 116**

As-tu observé?
Les mots de liaison

Lis les phrases suivantes tirées du texte _L'histoire des calendriers_.

1. Notre calendrier remonte à très loin dans le temps. **Après tout**, même l'homme des cavernes comptait les jours. **En effet**, toutes les civilisations du monde ont mesuré le temps...

2. Cet astronome... a déclaré que l'année comptait 365 jours et six heures. **C'est-à-dire** le temps que prend la Terre pour faire le tour du soleil.

Hum... quelle est la règle?

On utilise les mots de liaison (_après tout, en effet, c'est-à-dire_) pour souligner la relation entre une phrase et les phrases précédentes. Avec les mots de liaison on peut montrer :

a) _____ – L'astronome ne s'est pas contenté d'un calcul approximatif de la durée de l'année. _Au contraire_, il a passé toute sa vie à travailler sur un calendrier plus précis.

b) _____ – _D'abord_, ils ont divisé la semaine en sept jours. _Ensuite_, ils ont divisé le mois en quatre semaines.

c) La relation de _____ – Les Grecs ont fait des progrès importants en mathématiques. _Par conséquent_, ils ont pu mesurer plus précisément les mouvements des planètes.

d) Donner _____ ou une explication – Les Chaldéens ont contribué à l'élaboration du calendrier moderne. _Par exemple_, ils ont donné un nom aux jours de la semaine.

e) Renforcer ou _____ l'idée principale du texte – _En conclusion_, l'élaboration du calendrier moderne est une longue histoire. _En fait_, cette élaboration continue de nos jours!

---

cause à effet	conclure	le contraste	un exemple	l'ordre

➔ **Grammaire : Anthologie p. 117**

Les mots de liaison

Pour chaque paire de phrases, choisis les mots de liaison. Utilise les mots utiles.

> **Exemple :** Tout le monde sait que le mois d'octobre est le dixième mois du calendrier moderne. <u>Toutefois</u>, son nom veut dire 'le huitième mois'.

1. Le pape Grégoire XIII voulait corriger les inexactitudes du calendrier julien. _____ en 1582 il a réuni ses experts en astronomie.

2. Le pape croyait que son nouveau calendrier était précis. _____, il ne suit pas fidèlement l'année solaire.

3. Le calendrier musulman est basé sur le cycle lunaire. _____, il suit les mouvements de la lune.

4. C'était très difficile de se souvenir de tous les noms des jours du calendrier républicain. _____, il y en avait plus de 300!

5. Le calendrier républicain a réduit le nombre de jours de repos. _____, on l'a abandonné en 1806 pour reprendre le calendrier grégorien.

6. Malgré l'ajout des mois de janvier et février, le calendrier romain n'était pas très exact. _____, en l'an 46 avant Jésus-Christ les vendanges ont eu lieu en janvier!

7. L'Amérique centrale a connu de très grandes civilisations. _____, les Mayas et les Aztèques possédaient déjà notre savoir scientifique plusieurs siècles avant l'arrivée des conquérants espagnols.

8. Même si les sages chinois ont inventé un calendrier assez précis, les gens du peuple utilisaient un calendrier basé sur le zodiaque. _____, les gens étaient très superstitieux.

9. Les Chaldéens ont contribué au calcul du temps : ils ont divisé la journée en 12 heures doubles. _____, ils ont divisé l'heure en 60 minutes, et la minute en 60 secondes.

10. Le calendrier hébreu est assez différent du calendrier grégorien. L'an 2001 de notre ère correspond à l'an 5762 selon le calendrier hébreu. _____, les jours commencent au coucher du soleil.

Mots utiles

alors	après tout	au contraire	c'est-à-dire	d'ailleurs
en effet	en fait	en plus	en réalité	pour cette raison

Sélection 6 : Les astéroïdes : présentent-ils un danger réel ou imaginaire? Vocabulaire

Complète les mots croisés en utilisant les indices suivants.

Horizontalement :

1. petite planète qui orbite autour du soleil entre Mars et Jupiter

2. action de prendre son vol

3. Il est difficile de déterminer la _____ d'un astéroïde.

4. Il est toujours possible de se servir d'un moteur de _____.

5. On peut regarder les films de _____-fiction.

6. On appelle _____ un astéroïde qui tombe sur la Terre.

Verticalement :

7. Une météorite peut causer un _____ de terre.

8. synonyme de *mettre en marche*

9. Dans le golfe du Mexique, il y a un cratère de 180 km de _____.

10. synonyme de *nombre*

11. synonyme de *météorite*

12. Il y a des millions de corps _____ dans l'espace.

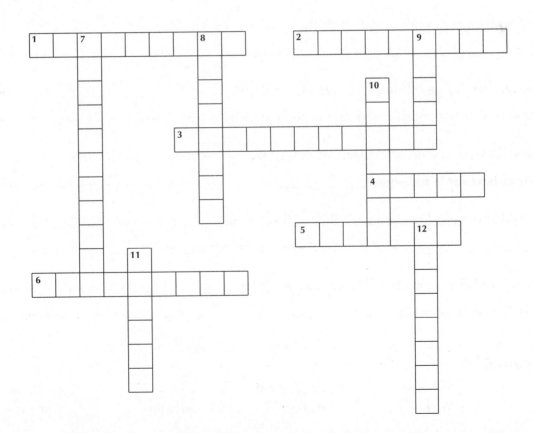

Compréhension

A **Relis la sélection 6. Mets les phrases suivantes en ordre chronologique.**

    ☐   **1.** Un bolide de 30 mètres de diamètre a explosé au-dessus de la Sibérie.

    ☐   **2.** L'astronome James Scotti a observé un astéroïde qui se dirigeait vers la Terre.

    ☐   **3.** Un corps céleste de 6 à 14 km de diamètre est entré en collision avec la Terre et a provoqué l'hiver nucléaire, ce qui a peut-être causé la disparition des dinosaures.

    ☐   **4.** Andrea Milani a dit à Scotti que le 2000-BF19 n'entrerait pas en collision avec la Terre.

    ☐   **5.** À l'époque de Noé, une comète a probablement provoqué le déluge et a bouleversé le cycle lunaire du calendrier.

    ☐   **6.** On a vu le KY26 s'approcher très près de la Terre.

B **Réponds aux questions suivantes en phrases complètes.**

1. Qu'est-ce que c'est qu'un astéroïde?

_____

_____

2. Pourquoi est-ce que James Scotti est à la fois soulagé et déçu d'apprendre que le 2000-BF19 était une fausse alerte?

_____

_____

3. Qu'est-ce qui peut arriver quand un corps céleste frappe la Terre?

_____

_____

4. Selon les scientifiques, pourquoi les dinosaures ont-ils disparu?

_____

_____

5. À ton avis, peut-on protéger notre planète des astéroïdes? Pourquoi?

_____

_____

Révision
Les pronoms relatifs

Écrivons!

Lis les phrases suivantes tirées du texte *Les astéroïdes : présentent-ils un danger réel ou imaginaire?*

1. **Ce que** la découverte ne mentionne pas, cependant, c'est que l'astéroïde pourrait frapper la Terre.

2. ... il avait fait de nouvelles observations, **ce qui** lui a permis de découvrir que le 2000-BF19 ne descendrait...

3. Il y a 26 astéroïdes connus **dont** le diamètre est de plus de 200 kilomètres.

A **Complète les phrases suivantes par** *ce qui, ce que, ce qu'* **ou** *dont.*

> **Exemple :** <u>Ce que</u> je veux savoir, c'est la date de la prochaine éclipse.

1. L'astronome James Scotti observe un astéroïde qui se dirige en direction vers la Terre, _____ l'inquiète beaucoup.

2. _____ il fait, c'est contacter immédiatement un collègue, Andrea Milani, pour l'avertir du danger.

3. L'astéroïde, _____ le nom est 2000-BF19, pourrait frapper la Terre, d'après Milani.

4. Après de nombreux calculs, Milani découvre qu'il a fait une erreur, _____ il annonce à son ami Scotti.

5. C'était une fausse alerte, _____ est dangereux.

6. _____ inquiète les astronomes, c'est qu'on sera moins attentif à cause des fausses alertes.

7. Il y a des centaines d'objets célestes _____ l'orbite n'est pas connue.

8. Une collision avec un astéroïde, _____ la probabilité est minime, pourrait causer beaucoup de destruction sur la Terre.

9. On peut voir sur la Terre les dommages causés par des collisions, _____ intéresse beaucoup les astronomes.

10. _____ nous croyons, c'est qu'une collision avec un corps céleste a provoqué la disparition des dinosaures.

→ Références : Cahier pp. 60, 62 et Anthologie p. 110

As-tu observé?
Le conditionnel présent

Lis les phrases suivantes tirées du texte *Les astéroïdes : présentent-ils un danger réel ou imaginaire?*

1. Scotti et Milani continuent tout de même leurs calculs pour déterminer quand l'astéroïde **atterrirait**.

   would land

2. En effet, il avait fait de nouvelles observations, ce qui lui a permis de découvrir que le 2000-BF19 ne **descendrait** qu'à 5,6 millions de kilomètres de la Terre.

3. Cet impact **pousserait** le corps céleste dans l'autre direction et on réussirait à défendre notre planète.

Hum... quelle est la règle?

a) ■ Le conditionnel présent et _____ ont le même radical.

   ■ Pour former le conditionnel des verbes réguliers en *-er*, comme _____, on prend le radical _____.

   ■ Pour former le conditionnel des verbes réguliers en *-ir*, comme _____, on prend le radical _____.

   ■ Pour former le conditionnel des verbes réguliers en *-re*, comme _____, on prend le radical _____.

b) Les terminaisons pour le conditionnel et _l'imparfait_ sont les mêmes : je- ais, tu- _as_, il / elle / on- _a_, nous- _ons_, vous- _ez_, ils / elles- _ont_.

c) Le *présent*, le *passé composé* et le *futur simple* servent à décrire une action réelle.
   Le *conditionnel présent* sert à décrire une action possible, c'est-à-dire une action qui n'est pas _arriver_ ou pas vérifiable.

Le conditionnel est aussi utilisé pour exprimer un souhait d'une manière polie.

Exemple : Je **veux** voir la pluie de météores.

Je _voudrais_ voir la pluie de météores.   ⟶

La formation du conditionnel présent

L'infinitif   **+**   les terminaisons   **=**   le *conditionnel présent*

(le radical)

(comme pour l'*imparfait*)

(comme pour le *futur simple*)

parler	+	ais	=	je parlerais
		ais		tu parlerais
		ait		il / elle parlerait
		ions		nous parlerions
		iez		vous parleriez
		aient		ils / elles parleraient

finir	+	ais	=	je finir *ais*
		ais		tu finir *ais*
		ait		il / elle finir *ait*
		ions		nous finir *ions*
		iez		vous finir *iez*
		aient		ils / elles finir *aient*

Attention! Pour les verbes en *-re*, on enlève le *e* final avant d'ajouter les terminaisons, comme pour le *futur simple*.

descendre	+	*ais*	=	je descendr *ais*
		ais		tu descendr *ais*
		ait		il / elle descendr *ait*
		ions		nous descendr *ions*
		iez		vous descendr *iez*
		aient		ils / elles descendr *aient*

Attention! Les verbes qui ont un radical irrégulier au *futur simple* ont le même radical au *conditionnel présent*.

avoir — j'**aur**ais

être — je **ser**ais

pouvoir — je **pourr**ais

vouloir — je **voudr**ais

devoir — je **devr**ais

faire — je **fer**ais

venir — je **viendr**ais

→ Grammaire : Anthologie p. 124

Le conditionnel présent

Récris les phrases suivantes au *conditionnel présent*.

> **Exemple :** Vendrez-vous la maison?
> <u>Vendriez-vous la maison?</u>

1. Où atterriront les astéroïdes?

   <u>Où atterroiriont les astéroïdes?</u>

2. Il aimera ce cadeau.

   <u>Il aimeraitce cadeau.</u>

3. Elles perdront tout leur argent!

   <u>Elles perdrient tout leur argent!</u>

4. Je ne choisirai pas le plat du jour.

   <u>Choisirais</u>

5. Nous serons contentes de visiter l'Observatoire.

   <u>Serions</u>

6. Qui aura le courage d'y aller?

   <u>Qui aurait le courage d'y aller?</u>

7. Vous irez en Inde.

   <u>Vous iriez en Inde.</u>

8. Sam et Lee partent à midi.

   <u>partiraient</u>

9. Je ne veux pas manger d'escargot!

   <u>Je ne voudrais pas...</u>

10. Tu ne prends pas de décision.

    <u>Tu ne prendrait pas</u>

Sélection 6 : Les astéroïdes   Copyright © Addison Wesley

Le conditionnel

A **Réponds aux questions suivantes avec le _conditionnel présent_ pour exprimer la possibilité.**

> **Exemple :** Quelle ville visiteriez-vous, Paris ou New York?
> <u>**Nous visiterions New York.**</u>

1. Serais-tu capable de calculer la trajectoire d'un astéroïde?

   <u>Non, je ne seriais pas capable.</u>

2. Pourrais-tu me dire où orbitent habituellement les astéroïdes?

   <u>Oui, je pourrais</u>

3. Que préféreriez-vous manger, du poulet ou du poisson?

   <u>Je préférerais du poulet.</u>

4. Est-ce que tes parents iraient au concert avec toi?

   <u>Non, mes parents n'y iraient pas avec moi.</u>

5. Selon toi, serions-nous capables de vivre sans animaux?

   <u>Non, nous ne serions pas capables de vivre sans animaux?</u>

B **Dans les phrases suivantes, utilise le _conditionnel présent_ pour exprimer la possibilité.**

> **Exemple :** En cas d'urgence, je <u>**téléphonerais**</u> immédiatement à la police.

1. Avec cet argent, nous <u>achèterions</u> une nouvelle voiture. (acheter)

2. Sans mon sac à dos, je <u>perdrais</u> toujours mes livres. (perdre)

3. <u>Se réveillerait</u>-il avec un radio-réveil? (se réveiller)

4. Les enfants ne <u>se brosseraient</u> pas les dents s'ils n'étaient pas obligés de le faire. (se brosser)

5. J'<u>irais</u> au cinéma avec toi, mais je n'ai pas d'argent. (aller)

6. Quelle planète <u>préférerais</u>-tu étudier, Mars ou Saturne? (préférer)

7. <u>mangeriez</u>-vous des cuisses de grenouille? (manger)

8. Cassandre <u>ferait</u>-elle une bonne chef? (faire)

9. Noah ne <u>choisirait</u> pas de film de science-fiction. (choisir)

10. Ma sœur <u>deviendrait</u> peut-être astronome. (devenir)

December, 8th, 2004

Devrais = You SHOULD
ou You OUGHT to

Le conditionnel : la politesse

A **Exprime les phrases suivantes d'une manière polie. Utilise le *conditionnel présent*.**

> **Exemple :**   Je veux te parler.
>
> Je **voudrais** te parler.

1. Nous voulons te parler. Nous voudrais^(ion) te parler.

2. Peux-tu me passer le sel? P

3. Pouvez-vous m'aider? _____

4. Nous voulons jouer au tennis avec vous. _____

5. Peux-tu me prêter cinq dollars? _____

B **Donne des conseils poliment. Utilise le *conditionnel présent*.**

> **Exemple :**   Je n'ai pas réussi mon test de science.
>
> Conseil ——→ *Tu devrais demander de l'aide au professeur.*
>   ⤷ you SHOULD/OUGHT to
>   ou
> ——→ *Tu pourrais faire plus d'effort.*
>   ⤷ to COULD

1. C'est l'anniversaire de mon amie demain.

   Conseil ——→ _____.

2. Je veux devenir un excellent étudiant.

   Conseil ——→ _____.

3. Nous avons un ami à l'hôpital.

   Conseil ——→ _____.

4. Mes parents sont très stressés ces jours-ci.

   Conseil ——→ _____.

5. Je dois décider quels cours je vais prendre l'année prochaine.

   Conseil ——→ _____.

On écoute

A Écoute l'article *Les astéroïdes : présentent-ils un danger réel ou imaginaire?* Puis, écoute chaque question et encercle la lettre qui correspond à la meilleure réponse que tu entends.

1. a) b) c)

2. a) b) c)

3. a) b) c)

4. a) b) c)

5. a) b) c)

6. a) b) c)

7. a) b) c)

8. a) b) c)

9. a) b) c)

10. a) b) c)

B Écoute les phrases et indique si le verbe est au *passé composé*, à l'*imparfait* ou au *conditionnel présent*. Écris le verbe que tu entends.

Passé composé	Imparfait	Conditionnel présent
Exemple : *a causé*		
1.		
2.		
3.		
4.		
5.		

C Écoute les cinq élèves du Club d'astronomie parler de leurs préférences. À ton avis, quelle activité choisirait chaque élève dans l'avenir? Écris la lettre qui représente cette activité.

Exemple : Aida [f] a) choisirait de travailler comme consultant en astronomie pour des films de science-fiction.

1. Lee [ ] b) choisirait de travailler dans l'espace à la recherche des corps célestes.

2. François [ ] c) choisirait de travailler comme professeur d'astronomie à l'université.

3. Julie [ ] d) aimerait étudier les sites où des corps célestes sont entrés en collision avec la Terre.

4. Karim [ ] e) aimerait étudier quand et où des astéroïdes atterriraient.

5. Isabelle [ ] f) aimerait écrire des romans de science-fiction.

Mini-dialogues

A Écoute la conversation entre deux sœurs. Écoute la conversation encore une fois et écris la bonne forme du verbe au *conditionnel présent*.

Marie : Réveille-toi Danika, il est presque quatre heures.

Danika : Heu… Qu'est-ce que tu dis? Il fait encore nuit. Laisse-moi dormir.

Marie : Mais la pluie de météores va commencer dans quinze minutes. Lève-toi!

Danika : Je t'ai dit hier soir que je ne _____ pas à quatre heures, même pour une pluie de météores.

Marie : Oui, mais si tu savais le rare spectacle qui va se produire, tu _____ pourquoi j'insiste, tu ne _____ plus de temps et tu _____ tout de suite avec moi! Je suis là pour te faire comprendre!

Danika : D'accord, d'accord. Je comprends maintenant que tu ne vas pas me laisser tranquille.

Marie : Vite, une ocassion comme celle-ci ne se présentera pas encore avant l'an 2099!

Danika : Moi, je ne vois rien. J'_____ savoir exactement quand cette pluie va commencer.

Marie : Patience! Puis, il faut regarder par la direction de la constellation Léo. Voilà pourquoi on appelle ces météores les Léonides.

Danika : Oh! Marie, regarde! As-tu vu l'éclat de lumière traverser le ciel? Oh! et en voilà un autre… et un autre!

Marie : C'est magnifique! Les météores sont presque fluorescents avec leur queues blanches et vertes. Ce qu'on voit c'est de la poussière laissée par la comète Temple-Tuttle. C'est incroyable!

Danika : Tu avais raison, Marie. C'est vraiment génial. Merci de m'avoir réveillée!

B Imagine que tu es Marie et que tu as une conversation semblable avec tes parents. En groupe de trois, récrivez le dialogue de l'exercice précédent sur une feuille de papier. Faites tous les changements nécessaires. Répétez le dialogue et puis présentez-le à la classe.

Exemple : **Marie :** Réveillez-vous, Maman et Papa! Il est presque quatre heures.
Maman : Heu… Qu'est-ce que tu dis? Il fait encore nuit.
Papa : Laisse-nous dormir!

Révision
Les verbes pronominaux au passé composé I

Lis les phrases suivantes tirées du texte *Les astéroïdes : présentent-ils un danger réel ou imaginaire?*

1. ... les astronomes se sont consultés et ont découvert...

2. ... la température s'est refroidie de 10 à 20 degrés...

Remplace les *verbes non-pronominaux* suivants par les *verbes pronominaux* comme dans l'exemple. Attention à l'accord des verbes pronominaux!

> Exemple : Les astronomes ont accusé le gouvernement d'être irresponsable. Le gouvernement a accusé les astronomes d'être irresponsables.
> <u>Les astronomes et le gouvernement se sont accusés d'être irresponsables.</u>

1. James Scotti a consulté Andrea Milani. Andrea Milani a consulté James Scotti.

   _____

2. Les astronomes ont compris les astronautes et les astronautes ont compris les astronomes.

   _____

3. Le bébé a regardé la mère. La mère a regardé le bébé.

   _____

4. Le chien n'a pas senti la chatte. La chatte n'a pas senti le chien.

   _____

5. Madame Malenfant n'a pas aidé la voisine. La voisine n'a pas aidé madame Malenfant.

   _____

→ Références : Cahier p. 47 et Anthologie p. 120

Copyright © Addison Wesley   Sélection 6 : Les astéroïdes   Nouvelles frontières 10e   **105**

Révision
Les verbes pronominaux au passé composé II

Réponds en phrases complètes aux questions suivantes. Attention à l'accord du participe passé!

        Exemple :   T'es-tu brossé les dents ce matin?

                    <u>Oui, je me suis brossé</u> les dents ce matin.

1. T'es-tu baigné ce matin?

_____

2. T'es-tu couché de bonne heure hier soir?

_____

3. T'es-tu déjà cassé le bras ou la jambe?

_____

4. Connais-tu quelqu'un qui s'est marié cette année?

_____

5. Tes amis et toi, est-ce que vous vous êtes aidés pour faire vos devoirs?

_____

6. Ton chien s'est-il déjà perdu?

_____

7. Est-ce que toi et tes amis, vous vous êtes réunis pour la fête?

_____

8. Toi et tes amis, vous êtes-vous amusés le weekend passé?

_____

9. Toi et ta famille, vous êtes-vous levés tard samedi passé?

_____

10. Est-ce que tes amis se sont souvenus de ton anniversaire cette année?

_____

> **➔ Références : Cahier p. 47 et Anthologie p. 120**

Révision
Les verbes au passé composé

Mets les verbes en caractères gras au *passé composé*. Attention à l'accord des verbes pronominaux!

Le jour de l'expédition dans l'espace, les astronautes canadiens et américains **se lèvent**[1] très tôt. Ils **se lavent**[2] et **s'habillent**[3] pour la dernière fois avant le voyage. Puis, l'équipe **se prépare**[4]. Ensuite, ils **s'installent**[5] dans la fusée et **se souhaitent**[6] bon voyage. Tout d'un coup, la fusée **décolle**[7]. Au bout de deux jours de voyage, le vaisseau **s'approche**[8] lentement de la station orbitale puis **s'y accroche**[9] pour permettre aux astronautes de passer du vaisseau à la station. Les astronautes nord-américains et les astronautes russes et français **se rencontrent**[10] et **se racontent**[11] en détail les progrès de leur mission. Deux semaines plus tard, ils **terminent**[12] leur mission et le vaisseau **se dirige**[13] de nouveau vers la Terre.

Le jour du retour, les astronautes **se réunissent**[14] avec leurs familles et leurs amis. Tout le monde **s'embrasse**[15]. Le soir, on fête le succès de la mission.

> **Exemple :** <u>*Les astronautes se sont levés.*</u>

1. <u>Ils se sont levés</u>   9. _____

2. <u>Ils se sont s'habillés</u>   10. _____

3. _____   11. _____

4. _____   12. _____

5. _____   13. _____

6. _____   14. _____

7. _____   15. _____

8. _____

→ Références : Cahier p. 47 et Anthologie p. 120

As-tu observé?
Les conjonctions

Lis les phrases suivantes tirées du texte *Les astéroïdes : présentent-ils un danger réel ou imaginaire?*

1. … James Scotti observe le ciel à l'Observatoire *Kitt Peak*, en Arizona, **lorsqu**'il découvre subitement un astéroïde…

2. Ce que la découverte ne mentionne pas, **cependant**, c'est que l'astéroïde pourrait frapper la Terre.

3. Le ciel est resté gris pendant des années **car** les incendies ont soulevé tellement de poussière.

Hum… quelle est la règle?

Les conjonctions servent à relier deux _____ pour faire une seule _____.

Complète les phrases avec une des conjonctions suivantes : *si, quand, dès que, cependant, donc.* Il y a plus d'une possibilité pour certaines phrases.

Exemple :   <u>Dès que</u> l'actrice est entrée, tout le monde a applaudi.

1. _____ mon frère a fini ses études, il a fait une grosse fête.

2. Eve et Marc sont tombés amoureux _____ ils se sont vus.

3. Laila ne savait pas _____ son petit ami était sérieux ou non.

4. On connaît l'orbite de 99 % des astéroïdes, _____, il y en a des centaines de milliers qui sont trop petits pour être observés de la Terre.

5. Le célèbre philosophe français Descartes nous a donné l'expression : « Je pense, _____ je suis.»

➜ **Grammaire : Anthologie p. 115**

Sélection 6 : Les astéroïdes   Copyright © Addison Wesley

Les conjonctions

A **Complète les phrases suivantes avec une conjonction convenable :** *si, quand, lorsque, dès que, cependant, parce que* **ou** *donc*.

1. _____ un astéroïde tombe sur la Terre, on l'appelle *un météorite*.

2. Il n'y a pas d'eau sur Mars, _____, des traces de torrents indiquent qu'il y en avait.

3. Les astronautes appellent la Lune, *fille de la Terre*, _____ ils pensent qu'elle faisait autrefois partie de la Terre.

4. La Lune tourne autour de la Terre, _____ c'est le satellite de la Terre.

5. _____ on veut étudier l'espace, il faut acheter un télescope.

B **Complète les phrases suivantes. Laisse aller ton imagination…**

   Exemple : Dès que mon père est rentré du travail, <u>il m'a donné mon cadeau d'anniversaire.</u>

1. *Dès que* je suis rentrée de l'école, _____.

2. J'adore mon frère *quand* _____.

3. L'idée de faire dévier un astéroïde avec une bombe atomique présente de grands risques,

   donc _____.

4. *Lorsque* mes parents se sont perdus, _____.

5. _____ car les pionniers ne savaient pas comment lutter contre l'hiver canadien.

Révision
Les mots de liaison

Écrivons!

Lis les phrases suivantes tirées du texte *Les astéroïdes : présentent-ils un danger réel ou imaginaire?*

1. ... l'astéroïde pourrait frapper la Terre en 2022! **En fait**, Milani avait déjà alerté plusieurs collègues.

2. ... qu'il s'est trompé. **En effet**, il avait fait de nouvelles observations...

Ajoute une des expressions suivantes pour relier les idées des deux phrases comme dans l'exemple : *c'est-à-dire, après tout, en effet, par conséquent, en plus, d'ailleurs, en fait.*

Exemple : J'aime regarder les matches de hockey à la télé.
<u>En fait</u>, je les regarde tous.

1. Je ne veux pas manger au restaurant. _____, j'ai déjà mangé.

2. Ma sœur adore les groupes D-345 et BCBG. _____, elle a tous leurs disques compacts.

3. Mes parents m'ont privé d'argent de poche. _____, je ne peux pas sortir ce week-end!

4. On ne voit pas la comète Halley très souvent. _____ elle apparaît tous les 75 ans.

5. Heureusement, les astéroïdes n'atterrissent pas souvent. _____, tous les 5 000 à 300 000 ans environ.

6. On observe les comètes depuis l'Antiquité. _____ la première fois qu'on a vu la comète Halley, c'était en l'an 240 avant Jésus-Christ.

7. Il y a des centaines d'objets célestes inconnus. _____, on connaît seulement l'orbite de 10 % d'entre eux.

8. Nous avons très peur pour notre environnement. _____, la Terre est fragile.

9. Jupiter est une planète fascinante, _____, c'est la seule planète qui a douze lunes.

10. Copernic a été le premier à vraiment comprendre l'univers. _____, il a été le premier à remarquer que le centre de l'univers n'était pas la Terre mais le soleil.

→ Références : Cahier p. 93 et Anthologie p. 117

Sélection 6 : Les astéroïdes Copyright © Addison Wesley

Sélection 7 : Les rêves de Chloé
Vocabulaire

A **Trouve le mot ou l'expression qui peut remplacer les mots en caractères gras. Utilise les mots utiles.**

Mots utiles
Ne t'inquiète pas
beaucoup d'argent
secteur de la ville
causer
est tombée
troublant
glissé
apaisement
que Chloé ne
   comprenait pas
capables de prédire
   l'avenir

1. Les vendeurs criaient dans une langue **inconnue à Chloé**.

   _____

2. M. Dupont habitait dans le même **quartier**.

   _____

3. Chloé commence à penser que ses rêves sont **prémonitoires**.

   _____

4. Chloé a essayé de **provoquer** des incidents en manipulant ses rêves.

   _____

5. Elle voulait gagner **le gros lot** avec un billet de loto.

   _____

6. C'était un **soulagement** pour Chloé de savoir que son amie n'était pas enceinte.

   _____

7. Chloé a fait un rêve **inquiétant**.

   _____

8. Dans le rêve de Chloé, Félix a **perdu pied** et il est tombé.

   _____

9. Chloé a sauté en l'air, mais elle **a atterri** sur l'estomac de Félix.

   _____

10. «**Ne t'en fais pas**», a dit Félix.

   _____

B **Trouve dans le texte un mot de la même famille que les mots suivants.**

1. vendre   _____

2. le maître   _____

3. venir   _____

4. une oreille   _____

5. le pied   _____

Compréhension

A **Relis la sélection 7. Dans chaque case, écris la lettre qui fait correspondre le rêve à la réalité.**

Réalités

a) La famille de Sophie a adopté un chat.

b) Il habitait dans le même quartier que la famille.

c) Un autre garçon a glissé pendant la promenade.

d) Félix était blessé au dos.

e) Sa tante partait travailler au Brésil.

Rêves

☐ **1.** Le professeur de français de Chloé vivait chez elle.

☐ **2.** Un membre de la famille de Chloé était dans un endroit inconnu.

☐ **3.** Sa meilleure amie était enceinte.

☐ **4.** Son copain est tombé du sommet d'un bâtiment.

☐ **5.** Une grande catastrophe allait arriver à son copain.

B **Réponds aux questions suivantes en phrases complètes.**

1. Qu'est-ce que Chloé a remarqué au sujet de ses rêves?

_____

2. Pourquoi a-t-elle mis un billet de loterie sous son oreiller?

_____

3. Pourquoi est-ce que Félix a pensé que Chloé était bizarre avant la randonnée pédestre?

_____

4. Qu'est-ce que Chloé a appris grâce à l'incident qui s'est passé pendant la randonnée?

_____

5. À ton avis, pourquoi est-ce que Chloé n'a pas partagé son secret avec Félix?

_____

Révision
L'accord du participe passé avec l'objet direct

Écrivons!

Lis les phrases suivantes tirées du texte *Les rêves de Chloé.*

1. Eh bien! Tant mieux! Il pourrait nous rendre visite et devenir un ami de la famille!

   a répondu sa mère. Chloé **l'a regardée** avec surprise…

2. La randonnée pédestre!… Je crois que ce n'est pas une bonne idée.

   – Mais c'est toi qui me **l'as suggérée**!

Sophie, la meilleure amie de Chloé, fait un rêve elle aussi et elle l'a décrit dans son journal intime. Récris son rêve. Remplace les mots en caractères gras par les pronoms *l'* ou *les*. Attention à la position des pronoms et à l'accord du participe passé!

1. Avant de me coucher hier soir, j'ai mis **notre petit chat, Caramel,** dans son panier.

   _____

2. Il a regardé **la lampe** et puis, il a fermé ses yeux.

   _____

3. Moi, j'ai lu **les dernières pages de mon roman**, et je me suis couchée.

   _____

4. Soudain, je me suis sentie flotter et, ensuite, j'ai entendu **la voix d'un très gros animal.**

   _____

5. Au même instant, j'ai vu **cet animal** qui se précipitait sur moi. C'était un lion!

   _____

6. Il a encerclé **mon lit** et, après, il a mis sa grande patte sur ma poitrine.

   _____

7. Je me suis alors réveillée, et j'ai pris **mes oreillers** pour me protéger.

   _____

8. Quel soulagement! Mon lion, c'était mon chat. Je me suis levée et j'ai caressé **Caramel.**

   _____

9. J'avais besoin d'une tasse de thé. Je suis allée à la cuisine et j'ai préparé **ma tasse de thé.**

   _____

10. J'ai écouté **la musique** avant de me recoucher.

    _____

→ **Références :** Cahier p. 80 et Anthologie p. 118

Révision
L'ordre des pronoms I

Lis les phrases suivantes tirées du texte *Les rêves de Chloé*.

1. Je dois **lui en** parler le plus tôt possible.

2. Moi, je ne **me le** pardonne pas.

Récris les phrases suivantes. Remplace les mots en caractères gras par les pronoms *le*, *la*, *les*, *lui*, *leur*, *y* ou *en*. Attention à la position des pronoms et à l'accord du participe passé!

> Exemple : Nous avons donné **la boîte à Félix**.
> Nous ___*la lui*___ avons donnée.

1. Ton père a expliqué **la situation à Sophie**.

   _____

2. Vas-tu présenter **tes recherches aux élèves** demain?

   _____

3. Les parents vont accompagner **les enfants à la piscine** samedi.

   _____

4. Je ne raconte jamais **mes rêves à mon frère**.

   _____

5. Nous avons envoyé **des fleurs à Félix**.

   _____

6. Qui apportera **la boîte de chocolats aux patients**?

   _____

7. Chloé a suggéré **l'idée à Sophie** hier.

   _____

8. Félix n'a pas accompagné **son chien chez le vétérinaire** dimanche.

   _____

9. Elle met toujours **des billets de loterie sous son oreiller** comme porte-bonheur.

   _____

10. C'est Chloé qui a mentionné **le danger à Félix** l'autre jour.

    _____

➔ Références : Cahier p. 35 et Anthologie p. 108

Révision
L'ordre des pronoms II

Avec un ou une partenaire, écrivez des questions possibles pour les réponses suivantes. Utilisez des noms à la place des pronoms en caractères gras. Attention au participe passé!

Exemple :   Il **nous en** a donné.
Qui a donné (des chocolats) (à moi et à mon frère?)

1. Oui, je **le lui** ai donné. _____

2. Non, ma mère ne va pas **leur en** envoyer. _____

3. Elle ne **les lui** a pas vendus. _____

4. Robert **les y** a perdues. _____

5. Oui, nous **te l'**avons promis. _____

6. Oui, je **lui en** donnerai. _____

7. C'est moi qui **la leur** ai racontée. _____

8. Je dois **lui en** parler. _____

9. Le professeur **les y** a déposés. _____

10. Elle ne va pas **nous l'**expliquer. _____

→ **Références : Cahier p. 35 et Anthologie p. 108**

Révision
l'imparfait et le conditionnel

Écrivons!

Lis les phrases suivantes tirées du texte *Les rêves de Chloé*.

1. Elle s'est dirigée vers un marché public où les vendeurs **criaient** dans une langue inconnue.

2. Une autre nuit, Chloé a rêvé que son professeur de français **vivait** chez elle.

A **Choisis le verbe logique et écris-le à la bonne forme de l'*imparfait*.**

> **Exemple :** (faire / avoir) Mon petit frère _____ peur des gros chiens.
> Mon petit frère **avait** peur des gros chiens.

1. (être / avoir) Quand j'**avais** _____ cinq ans, j'allais à la maternelle.

2. (faire / pouvoir) Il **faisait** _____ très beau quand la cérémonie a commencé.

3. (venir / finir) Nous **venions** _____ souvent voir nos amis dans ce quartier.

4. (pleuvoir / vouloir) Il **pleuvait** _____ quand nous sommes arrivés.

5. (prendre / vendre) Les sœurs **prenaient** _____ toujours un taxi pour aller en ville.

> ➜ **Références : Cahier p. 10 et Anthologie p. 129**

Lis les phrases suivantes tirées du texte *Les rêves de Chloé*.

1. On **pourrait** partir en vacances et s'amuser tout l'été.

2. Elle **serait** obligée d'abandonner ses études.

B **Choisis le verbe logique et écris-le à la bonne forme du *conditionnel présent*.**

> **Exemple :** (avoir / pouvoir) _____-vous le temps de m'aider?
> **Auriez**-vous le temps de m'aider?

1. (faire / être) Est-ce que la tante Laura **serait** _____ contente de vivre au Brésil?

2. (prendre / pouvoir) Est-ce que Chloé **pourrait** _____ vraiment maîtriser l'avenir?

3. (vouloir / avoir) **Voudrait**-il faire une randonnée avec nous?

4. (pouvoir / faire) **Pourriez**-vous me dire où se trouve le sentier?

5. (vouloir / croire) Je **voudrais** _____ du lait pour mon petit chat, s'il vous plaît.

> ➜ **Références : Cahier p. 98 et Anthologie p. 129**

Sélection 7 : Les rêves de Chloé   Copyright © Addison Wesley

As-tu observé?
L'imparfait et le conditionnel avec *si*

Lis les phrases suivantes tirées du texte *Les rêves de Chloé*.

1. ... si je **maîtrisais** mes rêves, peut-être que je **maîtriserais** l'avenir!

2. Si je **gagnais** le gros lot, mes parents **pourraient** cesser de travailler comme des fous.

3. Si elle **était** enceinte, elle ne **pourrait** pas devenir vétérinaire!

Hum... quelle est la règle?

a) Le temps du verbe employé après la conjonction *si* est _____.

b) Le verbe principal dans chaque phrase est **1.** _____.

   2. _____.

   3. _____.

c) Le temps du verbe principal est _____.

d) Les événements dans ces phrases ne représentent pas la réalité. Mais seulement

_____

---

verbe après *si*	verbe principal

Si + sujet + *IMPARFAIT*, + sujet + *CONDITIONNEL PRÉSENT*

Exemple :

■ S'il **était** musicien, il **jouerait** dans un groupe.

■ Si elle **tournait** la page, elle **trouverait** la réponse.

■ Si on **travaillait** fort, on **réussirait**.

Attention!   *si* + il = s'il   *si* + elle = si elle   *si* + on = si on

→ Grammaire : Anthologie p. 129

L'imparfait et le conditionnel avec *si*

Chloé rêve à ce qu'elle ferait si elle gagnait le million à la loterie. Complète les phrases suivantes. Mets le verbe entre parenthèses à la bonne forme de l'*imparfait* ou du *conditionnel présent*.

Exemple :   Si j'(avoir) _____ beaucoup d'argent, je (voyager)

_____ partout dans le monde.

Si j'_avais_ beaucoup d'argent, je _voyagerais_ partout dans le monde.

1. Si je (gagner) _gagnais_ [1] le million, je le (partager) _partagerais_ [2] avec ma famille et mes amis.

2. Si mes parents n'(être) _seraient_ [3] pas obligés de travailler, ils (pouvoir) _pouvent_ [4] se détendre un peu.

3. On (partir) _partirait_ [5] souvent en vacances en famille, si on (avoir) _avait_ [6] assez d'argent.

4. Si mes amis _avaient_ (avoir) de l'argent, ils _pourraient_ [7] (pouvoir) passer du temps dans les parcs d'attraction.

5. Si j'(avoir) _avais_ [8] mon permis de conduire, j'_achèterais_ [9] (acheter) une voiture neuve.

6. Mes parents (visiter) _visiteraient_ [10] souvent le Brésil si ma tante Laura les (inviter) _inviteraient_ [11] _visitent_.

7. J'(aider) _aiderais_ [12] mon amie Sophie à payer ses études si elle (vouloir) _voulait_ [13] devenir vétérinaire.

8. Félix et moi, nous (aller) _allerait on_ [14] au parc d'amusement toutes les fins de semaine si nous en (avoir) _aurons_ [15] le temps.

9. En hiver, j'(inviter) _inviterais_ [16] tous mes amis à faire du ski s'il y (avoir) _avait_ [17] de la neige.

10. Je (donner) _donnerais_ [18] de l'argent aux œuvres de charité si elles (protéger) _protégeret_ [19] les animaux.

11. Si j'_aurais_ [20] (avoir) assez de temps, j'_apprendrais_ [21] (apprendre) à jouer du saxophone.

12. Je _visiterais_ [22] (visiter) plusieurs pays si Sophie _pouvait_ [23] (pouvoir) voyager avec moi.

13. Mes amies et moi, nous _nagerons_ [24] (nager) chez moi si j'_aurais_ [25] (avoir) une piscine.

Les phrases avec *si*

A Relie les réponses de la colonne A avec les réponses de la colonne B. Mets les verbes à la bonne forme de l'*imparfait* ou du *conditionnel présent*.

> Exemple : Si Félix (être) malade, il (rester) à la maison ce jour-là.
>
> Si Félix ___était___ malade, il ___resterait___ à la maison ce jour-là.

Colonne A

1. Si tu n'___interpréterais___ (interpréter) pas tes rêves au pied de la lettre,

2. Si tu ne ___rappelerait___ (rappeler) pas la randonnée à Félix,

3. Si les élèves ___éviterent___ (éviter) le sentier en pente raide,

4. Si tu ne ___s'élancera___ (s'élancer) pas sur Félix,

5. Si M. Dupont ___changera___ (changer) la date de la promenade,

Colonne B

a) il y ___aurait___ (avoir) moins d'accidents.

b) les événements ___pouvent___ (pouvoir) être différents.

c) tu ___avais___ (avoir) moins de problèmes.

d) il ___resterait___ (rester) à la maison ce jour-là.

e) Félix ne ___était___ (être) pas blessé au dos.

f) il l'___oublierait___ (oublier) probablement.

B Réponds aux questions suivantes en phrases complètes.

1. As-tu déjà fait un rêve inquiétant comme celui de Chloé? Explique-le brièvement.

   _____

2. Si tu étais à la place de Chloé après son rêve inquiétant, qu'est-ce que tu ferais?

   _____

3. Si tu étais à la place de Félix après l'incident, qu'est-ce que tu dirais à Chloé?

   _____

4. Si tu gagnais à la loterie, qu'est-ce que tu ferais? Nomme trois choses.

   _____

5. Si tu pouvais influencer l'avenir avec tes rêves, quels rêves ferais-tu?

   _____

As-tu observé?
Le subjonctif

Lis les phrases suivantes tirées du texte *Les rêves de Chloé*.

1. Il faut absolument que je **réussisse** à faire ce rêve!

2. Il faut que je **trouve** une manière d'éviter un accident!

Hum... quelle est la règle?

a) Dans les phrases précédentes, *il faut que* exprime _____.

b) Le temps du verbe après l'expression _____ est le présent. Le mode est le subjonctif.

c) Dans les phrases qui expriment la nécessité avec _____, on utilise toujours le subjonctif présent.

La formation du subjonctif présent des verbes réguliers

Enlève le «ent» de la troisième
personne du pluriel au présent   +   les terminaisons   =   le **subjonctif** présent
(le radical)

ils cherch*ent*

que je cherche

que tu cherches

qu'il, qu'elle cherche

que nous cherchions

que vous cherchiez

qu'ils, qu'elles cherchent

ils finiss*ent* → + → e

es   = →

e

ions

iez

ent

que je finisse

que tu _____

qu'il, qu'elle finisse

que nous _____

que vous _____

qu'ils, qu'elle finissent

ils vend*ent*

que je _____

que tu vendes

qu'il, qu'elle _____

que nous vendions

que vous vendiez

qu'ils, qu'elles _____

→ Grammaire : Anthologie p. 129

Le subjonctif

Mets la bonne forme de l'infinitif au *présent du subjonctif*.

> **Exemple :** Il faut que nous (finir) _____ le travail avant midi.
> Il faut que nous _**finissions**_ le travail avant midi.

1. Il faut que je (réussir) ___réussisse___ cet examen.

2. Il faut que nous (téléphoner) ___téléphonions___ au médecin immédiatement.

3. Il ne faut pas que les enfants (manger) ___mangent___ des bonbons avant de se coucher.

4. Il faut que les enfants (descendre) ___descendent___ la colline très lentement.

5. Il ne faut pas que tu (perdre) ___perdes___ du temps pendant le test.

6. Il faut que vous (choisir) ___choisissiez___ la meilleure réponse.

7. Il ne faut pas que le malade (rester) ___restev ✓___ tout seul.

8. Il faut que les élèves (se réunir) ___réunissent___ dans la cour de l'école à huit heures.

9. Il ne faut pas que vous (répondre) ___répondiez___ au téléphone.

10. Il faut que nous (saisir) ___saisissions ✓___ cette occasion maintenant.

Il faut + le subjonctif I

Écris les phrases suivantes. Remplace le verbe *devoir* + *l'infinitif* par l'expression *il faut que* + *le subjonctif*.

> **Exemple :** Je dois commander deux oreillers pour la nouvelle chambre.
> <u>Il faut que je commande</u> deux oreillers pour la nouvelle chambre.

1. Les amis de Chloé doivent arrêter de la taquiner.

   Il faut que ils donner arrêtent de la taquiner

2. Je dois me réveiller avant sept heures pour participer à la randonnée.

   Ils faut que je me réveille avant sept heures...

3. Nous devons déposer nos journaux et bouteilles vides dans le bac de recyclage.

   Ils faut que nous

4. Je dois réfléchir à la question avant de répondre.

   réfléchisse

5. Le petit chat de Sophie doit grandir avant de sortir de la maison.

   grandisse

6. Les parents de Chloé doivent se reposer un peu.

   ralentisse

7. Tu dois ralentir un peu en descendant ce sentier dangereux.

   interprète ralentisse

8. Le juge doit interpréter les lois au pied de la lettre.

   interprète

9. M. Dupont, vous devez vérifier les devoirs de vos élèves.

   vérifiiez *

10. Félix doit garder le lit pendant deux jours.

11. Laura, vous devez voyager un peu au Brésil.

    voyagiez

12. Elles doivent parler en portugais.

    parlent

13. Sophie doit attendre que le vétérinaire examine son chat.

    attende

14. Chloé doit partager son rêve avec Félix.

15. Les parents de Chloé doivent écouter leur fille.

    écoutent

Il faut + le subjonctif II

Réponds aux questions suivantes. Utilise l'expression *il faut que* et le *subjonctif présent* des verbes réguliers.

Exemple : Qu'est-ce que tu dois faire pour bien dormir la nuit?

Il faut que je regarde la télé.

1. Qu'est-ce que tu dois faire chaque matin quand tu te réveilles?

   Il faut que je brossé mon dents.

2. Qu'est-ce que tu dois faire à chaque cours de français?

   Il faut que je finisse mon devoirs

3. Qu'est-ce que tu dois faire à la maison après l'école?

   Il faut que je mange.

4. Qu'est-ce que tu dois faire les fins de semaine?

   _____

5. Qu'est-ce que tu dois faire pendant les vacances d'été?

   _____

6. À quelle heure est-ce que tu dois te réveiller?

   _____

7. Qu'est-ce que tu dois faire pour aider tes parents?

   _____

8. Qu'est-ce que tu dois faire pour rester en bonne santé?

   _____

9. À quelle heure est-ce que tu dois te coucher?

   _____

10. Qu'est-ce que tu dois faire pour réussir ton examen?

    _____

On écoute

A Écoute l'histoire *Les rêves de Chloé*. Puis écoute chaque phrase et encercle la lettre de la phrase qui correspond le mieux à l'histoire.

1.	a)	b)	c)		6.	a)	b)	c)
2.	a)	b)	c)		7.	a)	b)	c)
3.	a)	b)	c)		8.	a)	b)	c)
4.	a)	b)	c)		9.	a)	b)	c)
5.	a)	b)	c)		10.	a)	b)	c)

B Écoute bien. Indique si les verbes sont à l'*infinitif* ou au *présent du subjonctif*. Si le verbe est au *présent du subjonctif*, écris la bonne forme du verbe.

	L'infinitif	Le présent du subjonctif
Exemple :	☐	☑ que Chloé parle
1.	☐	☐
2.	☐	☐
3.	☐	☐
4.	☐	☐
5.	☐	☐
6.	☐	☐
7.	☐	☐
8.	☐	☐
9.	☐	☐
10.	☐	☐

C Charles a rêvé à ses ami(e)s. Écoute ses rêves. Est-ce que son ami(e) est en danger? Coche la bonne case. Indique s'il faut que Charles parle du rêve à son ami(e).

	Il faut que Charles parle à son ami(e).	Il ne faut pas que Charles parle à son ami(e).
1.	☐	☐
2.	☐	☐
3.	☐	☐
4.	☐	☐
5.	☐	☐

Mini-dialogues

A Le lendemain de la randonnée, M. Harth, le directeur de l'école, demande à Chloé de venir au bureau. Il veut lui parler de l'incident qui a eu lieu pendant la randonnée. Écoute la conversation entre M. Harth et Chloé. Écoute la conversation une deuxième fois et écris la bonne forme du verbe au *présent du subjonctif*.

M. Harth : Bonjour Chloé! Dis-moi, qu'est-ce qui s'est passé hier? Pourquoi as-tu sauté sur ton ami Félix?

Chloé : Euh! Vraiment monsieur, je ne sais pas.

M. Harth : Chloé, il faut que tu me _____ une explication pour ton attitude bizarre. D'habitude, tu n'es pas une fille agressive.

Chloé : Mais si je vous donne la vraie raison, vous allez probablement rire.

M. Harth : Chloé, il faut que notre conversation _____ confidentielle. Je t'écoute.

Chloé : Dans un rêve que j'ai fait, Félix est tombé d'un bâtiment. Pendant la randonnée, j'ai pensé qu'il allait faire une chute, comme dans mon rêve. Alors, j'ai pensé, «Il faut que je le _____.»

M. Harth : Et tes efforts pour le sauver l'ont presque écrasé...

Chloé : Malheureusement, oui, monsieur!

M. Harth : Euh!... Cette explication est vraiment extraordinaire. Mais, il faut que je l'_____. Quelle leçon as-tu tirée de cet événement?

Chloé : Plusieurs monsieur! D'abord, il faut que je n'_____ plus mes rêves littéralement. Puis, il faut que je _____ avant d'agir. Et enfin, il faut que je _____ à Félix de m'excuser.

M. Harth : Bien Chloé. Et moi, il faut que je _____ toujours notre secret. Au revoir.

Chloé : Au revoir, monsieur Harth. Vous êtes très compréhensif!

B Imagine que Chloé a une conversation semblable avec ses parents. Elle leur explique ce qui s'est passé pendant la randonnée. Cette fois-ci, elle parle des leçons que Félix et elle ont tirées de l'événement. En groupe de trois, récrivez le dialogue. Faites les changements nécessaires. Répétez le dialogue et présentez-le à la classe.

Sélection 8 : De la bonne cuisine... au pôle Nord?
Vocabulaire

A Remets dans le bon ordre les lettres de ces mots tirés du texte *De la bonne cuisine... au pôle Nord?*
Ensuite, écris les mots dans les cases données. Les verbes sont à l'infinitif.

Exemple : tcchlooa

c	h	o	c	o	l	a	t

(46)

TORPERME
(36) (13) (17) (37)

DÉLUXICEI
(29) (24) (48) (25) (12)

RÉFECFUAHR
(28) (14) (40) (21)

IBLUERO
(19) (51) (18)

CAMGEONPI
(31) (23) (38) (10)

REENEMM
(11) (41) (26)

MEIEULELR
(2) (22)

TMSE
(30) (35) (1)

HABNELC
(3) (20) (40)

PNREDRE
(32) (34) (44) (20) (15)

SELLIO
(8) (33) (16) (4)

PAITRR
(50) (43) (7)

GOEMM
(9)

FIAROV
(6) (42) (39)

SELNOULI
(45) (27) (5) (30)

B À l'aide du code inscrit sous les cases, découvre le message-mystère.

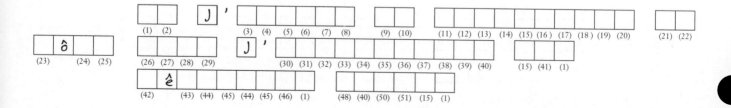

(1) (2) J' (3) (4) (5) (6) (7) (8) (9) (10) (11) (12) (13) (14) (15) (16) (17) (18) (19) (20) (21) (22)

(23) ô (24) (25) (26) (27) (28) (29) J' (30) (31) (32) (33) (34) (35) (36) (37) (38) (39) (40) (15) (41) (1)

(42) ê (43) (44) (45) (44) (45) (46) (1) (48) (40) (50) (51) (15) (1)

Mots croisés

Lis les indices suivants pour trouver le bon mot. Utilise le texte. Puis, écris le mot dans la grille.

Horizontalement :

1. mets italien qu'on peut manger avec les mains

5. Beaucoup de Chinois mangent des

   _____.

7. boisson populaire parmi les jeunes en hiver :

   le _____ chaud

8. Beaucoup de Canadiens aiment les manger

   couvertes de sirop d'érable.

9. jouet populaire chez les petits : un ours en

   _____

10. synonyme pour *chewing* gomme : la gomme à

    _____

Verticalement :

2. fruit commun à Hawaii

3. Pour se protéger les yeux, on met des

   _____ de soleil.

4. Beaucoup de jeunes adorent manger les

   _____ couvertes de ketchup.

6. Les pois et les haricots sont des exemples de

   _____.

On écoute

A Écoute les phrases suivantes et indique si elles sont *vraies* ou *fausses*. Si elles sont fausses, corrige-les.

1. v   f   _____

2. v   f   _____

3. v   f   _____

4. v   f   _____

5. v   f   _____

B Écoute ces jeunes parler de leurs plats préférés. Puis, détermine leurs goûts en fonction des définitions ci-dessous. Ont-ils des goûts éclectiques, assez variés ou très limités?

a des goûts éclectiques = aime manger des plats différents

a des goûts assez variés = aime assez manger des plats différents

a des goûts très limités = n'aime pas manger de plats différents

Exemple :   Bella *a des goûts très limités.*

1. Julian _____.

2. Lucas _____.

3. Lori _____.

4. Cathy _____.

5. Ilya _____.

Mini-dialogues

A Écoute le dialogue suivant. Ensuite, indique tes propres préférences. Puis pose les questions à un ou une partenaire et écris ses réponses.

Question 1 : Qu'est-ce que tu aimes manger?

Réponse : Moi, j'adore _____ et _____!

Question 2 : Qu'est-ce que tu n'aimes pas manger?

Réponse : Je n'aime pas tellement _____.

Question 3 : Quelle est ta cuisine favorite?

Réponse : J'aime surtout la cuisine _____, par exemple,

_____.

B Deux amis se trouvent devant un distributeur automatique. Avec un ou une partenaire, écoutez et complétez le dialogue. Trouvez une solution au dilemme.

Ali : J'ai une faim de loup, mais j'ai seulement _____ sous. Ce n'est pas assez pour m'acheter un goûter.

Mia : Moi aussi, j'ai très faim, mais je n'ai que _____ sous. Si j'_____ assez d'argent, j'_____ des croustilles au barbecue. Si on _____ notre argent ensemble, on _____ acheter un goûter et le partager!

Ali : Bonne idée, mais je n'aime pas les croustilles. Ça donne soif et on n'a pas assez d'argent pour acheter une boisson. Pourquoi pas acheter _____?

Mia : Mais non, ça donne soif aussi. Je crois que c'est mieux d'acheter _____ parce que _____.

Ali : Oui d'accord, mais ce qu'on pourrait aussi faire, c'est _____

_____

_____

Mia : Oui, ça c'est une bonne idée!

Sélection 9 : Le tsar Dimitri
Vocabulaire

A Trouve dans le texte un mot de la même famille que les mots suivants.

1. le courage _____

2. épouser _____

3. la jalousie _____

4. grand _____

5. réveiller _____

6. la voile _____

7. conseiller _____

8. la souveraineté _____

9. un éclatement _____

10. diabolique _____

B Trouve les mots dans le texte qui correspondent aux définitions suivantes. La première lettre de chaque mot que tu écris dans les blancs fait partie de la phrase-mystère au bas de la page. Le code numérique correspond aux numéros des phrases.

1. Un _____ est un oiseau blanc, à long cou.

2. Avoir très faim, c'est être _____.

3. Une _____ est un dôme sur un édifice.

4. Un _____ est un insecte qui pique la peau pour boire le sang.

5. On devient _____ quand on boit beaucoup d'alcool.

6. _____, c'est expirer bruyamment quand on est triste, soulagé ou fatigué.

7. Une _____, est l'action de souhaiter à quelqu'un le bonheur.

8. _____, c'est fabriquer un tissu en entrelaçant des fils textiles.

9. Se _____, c'est s'enfuir pour échapper à la punition ou au danger.

10. Une _____ est un liquide qui coule des yeux, quand on pleure.

La phrase-mystère :

$\underline{\hphantom{x}}$ $\underline{e}$ $\underline{\hphantom{x}}$ $\underline{\hphantom{x}}$ $\underline{r}$ $\underline{a}$ $\underline{\hphantom{x}}$ $\underline{u}$ $\underline{\hphantom{x}}$ $\underline{la}$ $\underline{\hphantom{x}}$ $\underline{é}$ $\underline{\hphantom{x}}$ $\underline{han}$ $\underline{\hphantom{x}}$ $\underline{et}$ $\underline{é}$ des deux sœurs.

10   8 6 2   9   7 5   4   1   3

Compréhension

A Relis la sélection 9. Quelle est la motivation des personnages? Écris la bonne lettre dans chaque case pour associer les émotions aux actions des personnages.

États psychologiques :

a) la gratitude   **b)** la peur   **c)** la tristesse   **d)** la jalousie   **e)** la surprise

Actions :

☐   **1.**   Iréna et Natasha ont écrit au tsar que son fils était un monstre mi-grenouille mi-souris.

☐   **2.**   Pour remercier Zoran de lui avoir sauvé la vie, le cygne l'a récompensé.

☐   **3.**   Le jeune homme a senti des larmes lui monter aux yeux.

☐   **4.**   Les deux méchantes sœurs tremblaient quand elles sont arrivées sur l'île de Zoran.

☐   **5.**   Le tsar est devenu pâle quand il a vu Tanya dans la grande salle du palais.

B Réponds aux questions suivantes en phrases complètes.

1.   **a)**   Pourquoi est-ce que Natasha et Iréna offrent du vin au messager?

         _____

     b)   Pourquoi est-ce que les conseillers du tsar jettent Tanya et son fils dans l'océan?

         _____

2.   Comment Tanya et son fils s'échappent-ils du tonneau?

     _____

3.   Qu'est-ce que le cygne fait pour Zoran?

     _____

4.   Pourquoi penses-tu que les deux sœurs déconseillent à Dimitri d'aller à l'île mystérieuse?

     _____

5.   **a)**   Pourquoi penses-tu que les deux sœurs se sauvent dans la forêt à la fin de l'histoire?

         _____

     b)   À ton avis, qu'est-ce qui va arriver à Natasha et Iréna après la fin de l'histoire?

     _____

Révision
L'imparfait et le passé composé

Lis les phrases suivantes tirées du texte *Le tsar Dimitri*.

1. Un patriarche qui les **attendait a déposé** sur la tête du jeune tsar une couronne d'or et de pierres précieuses.

2. Tout à coup, en voyant les deux méchantes sœurs qui **suivaient** le tsar en tremblant, le jeune homme **a éclaté** de rire...

Dans chaque phrase, mets le verbe indiqué au temps approprié.

> **Exemple :** Le tsar Dimitri (passer) <u>passait</u> par là quand il a entendu la conversation des sœurs. Les trois sœurs vivaient dans une petite maison. Un jour, elles (emménager) <u>ont emménagé</u> au palais du tsar.

1. Tanya parlait quand, tout à coup, le tsar (entrer) _____ dans la maison.

2. Quand Dimitri a demandé Tanya en mariage, elle (tisser) _____, comme d'habitude.

3. Les trois sœurs vivaient au palais quand Tanya (tomber) _____ enceinte.

4. Tanya (attendre) _____ un enfant. Un jour, elle a donné naissance à un garçon en pleine santé.

5. Dimitri (défendre) _____ son pays quand Iréna et Natasha ont échangé la lettre de Tanya contre une autre.

6. Le messager (se dépêcher) _____ quand les deux sœurs l'ont accueilli.

7. Les deux sœurs (remplacer) _____ le message du tsar par un autre pendant que le messager buvait du vin.

8. Les conseillers (finir) _____ un projet quand le messager leur ont donné la lettre.

9. Pendant qu'un aigle menaçait un cygne blanc, le jeune tsar (entendre) _____ des cris.

10. Les cloches (sonner) _____ quand ils sont entrés dans la ville.

> ➜ **Références : Cahier p. 15 et Anthologie p. 128**

L'imparfait et le passé composé

Récris les phrases suivantes. Mets les verbes indiqués au temps approprié. Attention à l'accord du participe passé!

Exemple : Tanya (pleurer) quand le tonneau (rouler) sur une plage.
Tanya **pleurait** quand le tonneau **a roulé** sur une plage.

1. Le jeune tsar (chercher) de la nourriture quand, soudain, il (entendre) les cris d'un cygne.

   _____

2. Zoran, est-ce que l'aigle (menacer) le cygne quand tu (lancer) une flèche?

   _____

3. Tanya (dormir) quand son fils (remarquer) la ville.

   _____

4. Un patriarche nous (attendre) quand nous (franchir) les portes de la ville.

   _____

5. Les marins (aller) à l'empire du tsar Dimitri quand ils (voir) la ville mystérieuse.

   _____

6. Quand le cygne (se présenter), Zoran (penser) à son père.

   _____

7. Les marins (se rendre) au pays de Dimitri quand le cygne (transformer) Zoran en moustique.

   _____

8. Quand je (descendre) du vaisseau, les cloches (sonner).

   _____

9. Iréna et Natasha (trembler) quand Zoran les (voir).

   _____

10. Dimitri (serrer) Tanya et Zoran dans ses bras quand les deux sœurs (se sauver) dans la forêt.

Révision
Les expressions impersonnelles

Écrivons!

Lis les phrases suivantes tirées du texte *Le tsar Dimitri*.

1. Mais **il est difficile de** savoir si c'est un fils ou une fille.

2. **Il fallait** trouver quelque chose à manger.

Quels messages ressortent du conte *Le tsar Dimitri*? Modifie les phrases suivantes d'après l'exemple. Utilise les expressions impersonnelles au bas de la page.

Exemple : Zoran est riche et malheureux.
<u>Il est possible d'être riche et malheureux.</u>
Tanya ne se décourage pas.
<u>Il est important de ne pas se décourager.</u>

1. Zoran aide les autres.

_____

2. Iréna et Natasha s'abandonnent à la jalousie.

_____

3. Le cygne rend service par gratitude.

_____

4. Dimitri garde espoir.

_____

5. Dimitri, Tanya et Zoran luttent pour la justice.

_____

Expressions utiles

Il est bon de...   Il est essentiel de...
Il est important de...   Il faut...
Il est possible de...

➜ Références : Cahier p. 83 et Anthologie p. 123

Les expressions impersonnelles

Tout comme les contes de fées, les films communiquent des messages. Quels sont les messages que les genres de films ci-dessous communiquent? Complète les phrases d'après l'exemple.

Exemple : Les films d'horreur :
Il est important de <u>ne pas répondre au téléphone si tu es seul(e)</u>.
Les films de science-fiction :
Il est possible de <u>communiquer avec des extraterrestres</u>.

1. Les films d'horreur :

    Il est mieux de _____.

2. Les films de science-fiction :

    Il est possible de _____.

3. Les films d'action :

    Il est possible de _____.

    Il est impossible de _____.

4. Les films romantiques :

    Il faut _____.

    Il est bon de _____.

Ajoute d'autres messages.

5. a) Genre de film : _____

        Il _____.

    b) Genre de film : _____

        Il _____.

Révision
Les phrases avec *si*

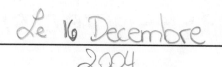

Le 16 Decembre 2004

Lis les phrases suivantes tirées du texte *Le tsar Dimitri*.

1. S'il me **choisissait**, je **cuisinerais** moi-même notre banquet de mariage et j'y **inviterais** tout le monde.

   main clause = Conditionel

2. Moi,... s'il m'**épousait**, je lui **donnerais** un beau fils en santé.

A **Iréna, une des sœurs de Tanya, pense à ce qu'elle ferait si elle était tsarine. Mets le verbe entre parenthèses au *conditionnel présent* dans les phrases suivantes.**

   Exemple : Si j'étais tsarine, je (vivre) <u>vivrais</u> dans le luxe.

1. Si j'étais tsarine, je (mettre) <u>mettrais</u> Tanya en prison.

2. Si elle était en prison, Tanya (dormir) <u>dormirait</u> par terre.

3. Dimitri et moi, nous lui (donner) <u>donnerions</u> de l'eau et du pain si elle passait toute la journée à travailler.

4. Si j'avais un enfant, Natasha le (garder) <u>garderait</u>.

5. Si j'étais tsarine, les domestiques me (servir) <u>serviraient</u> loyalement.

B **Natasha pense à ce qu'elle ferait si elle était tsarine. Mets le verbe entre parenthèses au temps approprié dans les phrases suivantes. Attention aux verbes irréguliers!**

1. Si Dimitri m'(épouser) <u>épousait</u>, tout le monde (vouloir) <u>voudrait</u> faire ma connaissance.

2. Si Tanya (déménager) <u>déménageait</u>, Dimitri et moi (être) <u>serions</u> très heureux ensemble.

3. Si j'(habiter) <u>habitais</u> au palais, les domestiques (faire) <u>feraient</u> tout pour moi.

4. Si Tanya (vouloir) <u>voulait</u> vivre au palais, elle (pouvoir) <u>pourrait</u> dormir dans le donjon.

5. On (ne pas avoir) n'<u>aurait pas</u> besoin de beaucoup de domestiques si Tanya (travailler) <u>travaillent</u> pour nous.

> **→ Références : Cahier p. 98 et Anthologie p. 129**

Les phrases avec *si*

Après ses expériences récentes, Dimitri veut être certain de bien connaître les gens. Imagine que tu es psychiatre royal(e) dans l'empire du tsar Dimitri. Dis-lui comment tes patients réagiraient s'ils étaient dans les situations suivantes. Utilise les mots utiles.

      Exemple :   Si le père de Zoran planifiait une opération militaire, Zoran _garderait le secret_.

1. Si Natasha et Iréna retournaient au palais, elles _____

    _____.

2. Si Dimitri était malade, Tanya et Zoran _____

    _____.

3. Si Dimitri donnait une lettre secrète au messager, le messager _____

    _____.

4. Si les ennemis attaquaient le palais, Iréna et Natasha _____

    _____, mais Tanya _____.

    _____et Zoran _____

    _____.

5. Si Dimitri donnait un million de dollars à Zoran, à Tanya, et aux deux sœurs,

    Zoran _____;

    Tanya _____;

    et les deux sœurs _____.

Mots utiles

acheter des vêtements	aider le tsar
épargner l'argent	être obligées de travailler nuit et jour
garder précieusement la lettre	lutter contre les ennemis
organiser un grand bal	rester avec son mari
	se sauver dans la forêt

As-tu observé?
Le subjonctif des verbes irréguliers

Lis les phrases suivantes tirées du texte *Le tsar Dimitri*.

1. Il faut que j'**aie** le temps de réfléchir avant de prendre une décision.

2. …il faut que l'enfant et sa mère **soient** jetés dans l'océan immédiatement!

3. Il faut que je **sache** qui est le maître de cette belle ville mystérieuse.

4. Maintenant, nous prions pour que le vent **fasse** gonfler nos voiles…

5. Il faut que j'**aille** voir de mes propres yeux le seigneur Zoran et son pays mystérieux.

Hum… quelle est la règle?

a) Les verbes *aller, avoir, être, faire* et *savoir* sont _____ au subjonctif.

b) Les conjugaisons sont les suivantes :

aller
que j'_____	que nous allions
que tu ailles	que vous alliez
qu'il aille	qu'ils _____
qu'elle _____	qu'elles aillent
qu'on aille	

avoir
que j'____	que nous ayons
que tu aies	que vous ayez
qu'il ____	qu'ils aient
qu'elle ait	qu'elles _____
qu'on ait	

être
que je sois	que nous soyons
que tu sois	que vous soyez
qu'il soit	qu'ils _____
qu'elle _____	qu'elles _____
qu'on _____	

faire
que je fasse	que nous fassions
que tu fasses	que vous fassiez
qu'il _____	qu'ils _____
qu'elle _____	qu'elles fassent
qu'on fasse	

savoir
que je _____	que nous sachions
que tu saches	que vous sachiez
qu'il sache	qu'ils sachent
qu'elle _____	qu'elles _____
qu'on sache	

c) À l'exception des verbes *avoir* et *être* aux formes _____ et _____, les verbes irréguliers ont les mêmes _____ que les verbes réguliers.

→ **Grammaire : Anthologie p. 130**

Le subjonctif des verbes irréguliers I

Pour compléter les phrases suivantes, choisis le bon verbe et écris-le au *présent du subjonctif*.

> **Exemple :** Il faut que je (faire / jeter) <u>*fasse*</u> mes devoirs avant de regarder la télé.

1. Le bal commence à 20 heures. Il faut que les sœurs (être / avoir)_____ prêts à partir à 19 heures.

2. Zoran, tu as toujours mal à l'estomac? Il faut que tu (faire / aller) _____ chez le médecin!

3. Tanya veut sauver la vie de son fils. Il faut qu'elle (avoir / savoir) _____ du courage.

4. Il faut que vous (être / savoir) _____ ce que le message sur l'écran dit.

5. Pour être tsarine, il faut que je (faire / aller) _____ des études en art.

6. Il faut que vous (aller / avoir) _____ voir le conseiller royal.

7. Natasha veut travailler comme gardienne d'enfants. Il faut qu'elle (être / avoir) _____ beaucoup de patience.

8. Il faut que le messager (savoir / faire) _____ 42,2 kilomètres pour lire la lettre.

9. Il faut qu'Iréna (savoir / aller) _____ faire la cuisine.

10. Il faut que le tsar (être / faire) _____ bien informé avant de prendre une décision.

Le subjonctif des verbes irréguliers II

A **Récris les phrases suivantes. Commence chaque phrase par** *il faut que* **ou** *il ne faut pas que.*
Attention aux verbes irréguliers au *subjonctif*!

> **Exemple :** Iréna et moi, nous travaillons à la maison.
> <u>Il faut que nous travaillions</u> à la maison.

1. Le tsar fait de l'exercice pour lutter contre ses ennemis.

   _____.

2. Dimitri et moi, nous parlons de nos problèmes pour les résoudre.

   _____.

3. Natasha, tu finis le ménage parce que je veux te parler.

   _____.

4. Les sœurs sont très calmes après l'échange des lettres.

   _____.

5. Tanya, tu as beaucoup de courage pour garder l'espoir.

   _____.

B **Complète les phrases suivantes d'après ton avis. Attention au subjonctif!**

> **Exemple :** Pour gagner à la loterie, il faut que tu <u>aies de la chance</u>.

1. Pour être bons amis, il faut qu'on _____

2. Pour obtenir un permis de conduire, il faut que vous _____

3. Pour réussir à l'école, il faut que tu_____

4. Pour devenir des athlètes olympiques, il faut qu'on _____

5. Pour parler couramment le français, il faut que tu _____

On écoute

A Écoute le conte *Le tsar Dimitri*. Puis écoute les descriptions des personnages et identifie le numéro qui correspond à chaque personnage. Écris le numéro dans la bonne case.

Natasha	Tanya	le tsar Dimitri	Iréna	Zoran
☐	☐	☐	☐	☐

B Écoute les phrases suivantes et écris le verbe qui manque. Puis écris l'infinitif de chaque verbe.

> **Exemple :** Il faut que Tanya **ait** un fils en bonne santé.
> **avoir**

1. Il faut que le tsar _____ défendre son pays. _____

2. Il faut que les sœurs _____ le ménage. _____

3. Il faut que le tsar _____ le temps de prendre une décision. _____

4. Il faut que Tanya _____ courageuse pendant le voyage en tonneau. _____

5. Il faut que le tsar _____ que son fils et sa femme vivent encore. _____

C Écoute les cinq descriptions des personnages du conte *Le tsar Dimitri*. Qu'est-ce qu'il faut que le personnage fasse? Choisis la bonne lettre.

> **Exemple :** Il ne faut pas que le tsar **d**

1. Il faut que le fils du tsar ____   a) soient punies.

2. Il faut que Tanya ____   b) aille visiter l'île mystérieuse.

3. Il faut que Dimitri ____   c) ait de la patience.

4. Il faut que la future tsarine ____   d) sache la vérité.

5. Il faut que les sœurs _____   e) soit gracieuse et travailleuse.

         f) fasse un arc et une flèche pour aller à la chasse.

Mini-dialogues

A **Écoute la conversation entre les deux sœurs de la tsarine, Natasha et Iréna. Écris le verbe au subjonctif. Choisis parmi les cinq verbes donnés.**   aller   avoir   être   faire   savoir

Natasha :   La situation est insupportable! Tanya est tsarine et, un jour, son fils deviendra le tsar du pays. Il faut qu'on _____ quelque chose, mais quoi?

Iréna :   Ma chère sœur, tu as raison. Il faut que nous _____ quelque chose pour empêcher le bonheur de Tanya. Pour commencer, il ne faut pas que le tsar _____ qu'il a un beau fils en pleine santé.

Natasha :   Mais Tanya va bientôt lui envoyer un message! Il ne faut pas que le messager _____ annoncer la naissance au tsar.

Iréna :   Alors, nous échangerons la lettre de Tanya contre une autre. Dans notre lettre, nous allons dire que le fils de Tanya est un monstre. Il faut que nous _____ voir le messager avant son départ.

Natasha :   Excellente idée! Mais il faut que le messager _____ ivre pour échanger les lettres. Nous le ferons boire. Et quand Dimitri va recevoir le message, il va sûrement envoyer Tanya et son fils en exil.

Iréna :   Et si Dimitri aime toujours Tanya et dit aux conseillers de ne rien faire avant son retour? Il faut que Tanya et son fils _____ éliminer tout de suite. Il ne faut pas que Dimitri _____ l'occasion de voir son fils!

Natasha :   Tu as raison. Alors, il faut qu'on _____ sa réponse avant les conseillers.

Iréna :   C'est simple! Il faut que nous _____ les premières à accueillir le messager. On va lui offrir du vin et remplacer le message par un autre si c'est nécessaire.

Natasha :   Parfait! Les conseillers vont envoyer Tanya et son fils en exil et nous serons les tsarines du pays.

B **Fyodor et Igor sont les frères du tsar Dimitri. Ils sont au courant du plan de Natasha et d'Iréna. Avec un ou une partenaire, créez et écrivez un plan pour protéger Tanya et son fils contre les méchantes sœurs. Pratiquez le dialogue et puis présentez-le à la classe.**

Fyodor :   Il ne faut pas que les méchantes sœurs réussissent à détruire la vie de notre tsarine et de notre neveu.

Igor :   Oui, je sais. Il faut que nous fassions quelque chose, mais quoi?

Fyodor :   J'ai une idée…

Révision
Les mots de liaison

Lis les phrases suivantes tirées du texte *Le tsar Dimitri*.

1. **Cependant**, après une attaque des ennemis, le souverain a dû se séparer de sa tendre épouse…

2. **Toutefois**, la naissance de cet enfant ne rendait pas tout le monde heureux.

3. **En effet**, les deux sœurs, devenues jalouses du bonheur de Tanya, ont décidé de se venger.

4. **Par conséquent**, c'est le message des deux sœurs que le tsar a lu…

Choisis les mots de liaison pour relier les idées dans les phrases suivantes. Utilise les mots utiles.

Exemple : Tanya est devenue tsarine. <u>Par conséquent</u>, elle est allée vivre au palais.

1. Tanya attendait un enfant. _____, elle était enceinte.

2. Iréna et Natasha étaient jalouses. _____, elles ont décidé de se venger.

3. Les deux méchantes sœurs ont échangé la lettre de la tsarine contre une autre.

   _____, elles ont remplacé la lettre du tsar par une autre.

4. Dimitri voulait voir son enfant. _____, ses conseillers ont jeté l'enfant et sa mère à la mer.

5. Zoran a tué l'aigle. _____, il a sauvé la vie du cygne.

6. Zoran et sa mère avaient faim. _____, Zoran avait perdu son unique flèche.

7. Zoran habitait une ville magnifique. _____, il était triste.

8. Zoran voulait voir son père. _____, il a senti des larmes lui monter aux yeux.

9. Zoran a vu un homme à côté du capitaine. _____, c'était le tsar Dimitri.

10. Dimitri était très heureux de voir sa femme et son fils. _____, il était ému

    jusqu'aux larmes.

Mots utiles

cependant	c'est-à-dire	en effet	en plus	par conséquent	toutefois

→ **Références : Cahier p. 93 et Anthologie p. 117**

Index de grammaire et des structures langagières